H A C I W R

HYWEL
GRIFFITHS

I fy ffrindiau ar Gampws Penglais,
ddoe a heddiw, gyda diolch.

Argraffiad cyntaf: 2013

Golygyddion Pen Dafad: Alun Jones a Meinir Wyn Edwards

Comisiynwyd y gyfrol gyda chymorth ariannol AdAS

Cynllun y clawr: Y Lolfa

Rhif Llyfr Rhyngwladol: 978 1 84771 744 3

FSC

Cyhoeddwyd, rhwymwyd ac argraffwyd yng Nghymru gan
Y Lolfa Cyf., Talybont, Ceredigion SY24 5HE
gwefan www.ylolfa.com
e-bost ylolfa@ylolfa.com
ffôn 01970 832 304
ffacs 832 782

1

Syllodd ar y sgrin. Roedd bar glas ar hyd y gwaelod, yn ymestyn yn raddol bach, a rhif gwyn yn dangos canran a oedd yn cynyddu'n annioddefol o araf wrth ei ymyl.

75%... 76%... 77%...

Tynnodd ei sbectol drwchus er mwyn iddo allu rhwbio ei lygaid blinedig. Roedd chwys yn diferu o flaen ei drwyn ac o'r gwallt tywyll ar ei war.

81%... 82%... 83%...

Roedd yr ystafell yn dywyll ar wahân i olau llachar y sgrin. Edrychodd y dyn ar ei oriawr ac yna yn ôl at y sgrin. Mater o eiliadau fyddai hi.

95%... 96%... 97%...

Gafaelodd yn y co' bach, diniwed yr olwg, a oedd wedi ei osod yn ochr y sgrin a pharatoi. Dechreuodd gyfri'r eiliadau. Deg... naw... wyth...

98%... chwech, pump, pedwar

99%... tri, dau,

100% 'Lawrlwytho wedi gorffen'.

Tynnodd y co' bach allan fel mellten, a'i osod yn ei boced. Tynnodd botel o'i fag a thywallt yr hylif drewllyd dros y cyfrifiadur a'r ddesg. Taniodd fatsien a'i gollwng, a heb aros i weld y fflamau'n cydio a chodi, rhedodd nerth ei draed o'r ystafell wrth i'r byd droi wyneb i waered o'i gwmpas.

2

Agorodd Anwen Evans ddrws cefn y tŷ a theimlo awel fwyn yr haf ar ei hwyneb. Bu'n ddiwrnod cynnes yn Aberystwyth ac roedd y gwres yn dal i godi o goncrid y patio. Roedd y borfa'n felyn, felyn, hyd yn oed yn y tywyllwch. Teimlodd hi Magw'r gath yn sleifio heibio i'w choesau ac at gysgod y clawdd prifet perffaith. Eiliad cyn iddi droi yn ôl at y ddefod nosweithiol o baned a bisged, cododd ei llygaid tuag at y dref. Gwelodd y fflamau'n codi uwchben y coed tal rhwng y tŷ a'r coleg a daeth arogl mwg i'w ffroenau. Rhuthrodd at y ffôn a gwasgu'r botymau.

3

Roedd Aled Edwards wedi hen arfer â gweld adeiladau'n llosgi'n ulw. Ar ôl treulio ugain mlynedd fel prif arolygydd tân yng Ngheredigion, roedd wedi gweld pob math o danau. Tanau mewn tai, tanau mewn sguboriau, tanau mewn ffatrïoedd a thanau ar y rhostiroedd ar ôl i'r coelcerthi a'r barbeciws fynd yn rhemp. Roedd ôl ambell un ar ei ddwylo a'i freichiau. O fewn pum munud i'r larwm seinio yn yr orsaf roedd pedair injan dân yn amgylchynu'r tŵr uchel, a phedair pibell dew yn chwistrellu dŵr at y fflamau o dan ei oruchwyliaeth ofalus. Gyda'i lygaid profiadol, gwyliodd Aled yr ymdrechion a cherddodd yn gyflym o'r naill injan i'r llall, gan gyfeirio'r saethau dŵr. Gweddïodd Aled y byddai'r tân wedi ei ddiffodd cyn hir. Roedd yr haf sych yn golygu y byddai'n rhaid pwmpio dŵr o'r môr cyn hir. Roedd y fflamau'n dal i godi.

4

Mewn ystafell wely flêr yn y Waun, eisteddai merch ifanc. Roedd ei gwallt melyn hir wedi ei glymu i fyny ac roedd yn ymestyn ei choesau hir o'i blaen fel bod ei thraed yn gorffwys ar ben y rheiddiadur oer. Sipiai baned o goffi du ac roedd bysellfwrdd di-wifr yn ei chôl a sgrin gyfrifiadur anferth ar y ddesg o'i blaen. O'r myrdd o ffenestri oedd ar y *desktop* agorodd un a darllen y neges y bu'n ei hysgrifennu am y trydydd tro. Penderfynodd ei bod yn barod. Gwasgodd 'Anfon'.

5

Deffrodd Elwyn Llywelyn wrth i'w ffôn-clyfar ganu. Un bîp fach a fflach o olau ac roedd ar ddihun. Roedd e-bost wedi cyrraedd ei gyfrif gwaith. Edrychodd ar y rhifau glas ar y cloc oedd ar y bwrdd – hanner nos. Doedd hi ddim yn anarferol derbyn negeseuon bob awr o'r dydd oherwydd roedd yn gweithio gyda nifer o wyddonwyr yn yr Unol Daleithiau, Tsieina, Awstralia a thros y byd i gyd, ac roedd ei gyd-weithwyr yn y brifysgol hefyd yn adar y nos. Trodd yn ei wely dwbl, cyffyrddus ac estyn at y bwrdd wrth ei ymyl. Cydiodd yn y ffôn ac agor y neges. Doedd y cyfeiriad ddim yn gyfarwydd iddo ond gallai weld mai cyfeiriad y brifysgol oedd e. Cyfeiriad myfyriwr, o be welai. Roedd hyn ychydig yn fwy annisgwyl. Eisteddodd i fyny yn ei wely ac wrth iddo ddarllen yr e-bost trodd ei wyneb yn wyn fel y galchen.

6

Roedd arogl petrol yn dal i fod ar ei ddwylo. Neu efallai mai dychmygu'r arogl roedd e. Roedd diwrnod wedi mynd heibio ers y tân, wedi'r cwbwl. Rhwbiodd ei ddwylo gyda'i gilydd. Teipiodd ei enw a'i gyfrinair i mewn i'r blwch. Cliciodd ar eicon ar y *desktop* ac ymddangosodd amryw byd o rifau, yn dynodi pob cyfrifiadur a oedd wedi mewngofnodi i rwydwaith y brifysgol ers amser cinio ddoe. Cliciodd ar enw cyfrifiadur Elwyn Llywelyn – yr un cyfrifiadur a losgwyd yn ulw yn y tân. Agorodd ffenest arall gyda rhestr hirfaith o ddolenni eraill, wedi eu trefnu yn ôl dyddiad. Cliciodd ar y ffeil ddiweddaraf. Agorodd ffenest arall eto. Roedd dyddiad ar dop y dudalen, a'r wybodaeth oddi tano yn nodi bod deunydd wedi cael ei lawrlwytho o'r cyfrifiadur. Gwenodd. Wrth gwrs, fe oedd yn gyfrifol am wneud hynny. Caeodd y ffenest arbennig honno.

Cliciodd ar yr un nesaf. Darllenodd y wybodaeth – roedd y dyddiad yn cyfeirio at y diwrnod cyn y tân, ac yn dangos Elwyn Llywelyn yn gweithio ei oriau arferol ac yn allgofnodi ar ddiwedd y dydd. Caeodd y ffenest honno hefyd. Cliciodd ar y ddolen nesaf. Crychodd ei dalcen. Roedd rhywbeth yn wahanol fan hyn. Roedd y dyddiad yn cyfeirio at ddau ddiwrnod cyn y tân. Nid rhif cyfeirio cyfrifiadur Elwyn oedd o dan y cofnod, ond cyfeiriad dieithr. Gwibiodd ei lygaid dros y wybodaeth. Gwelwodd wrth sylweddoli bod rhywun arall wedi bod yn rheoli cyfrifiadur Elwyn Llywelyn cyn y tân, ac wedi llwyddo i lawrlwytho terabeit o ddata. Anadlodd yn ddwfn i geisio rheoli ei dymer. Nododd rif y cyfrifiadur, a chau'r ffenest.

7

Roedd Elwyn wedi gorffen darllen yr e-bost, ac roedd yn gegrwth. Estynnodd am wydraid o ddŵr o'r bwrdd wrth ymyl ei wely ac wrth ei godi at ei geg sylwodd fod ei ddwylo'n crynu. Yn sydyn, dirgrynodd ei ffôn. Roedd wastad yn rhoi ei ffôn ar *vibrate* dros nos. Edrychodd ar yr enw. Steff. Steffan Lewis oedd ei ffrind gorau yn y gwaith, rhyw flwyddyn neu ddwy yn hŷn nag e.

'Helô.'

'Elwyn? Lle wyt ti?'

'Adre. Yn y gwely a dweud y gwir.'

'Dwyt ti ddim wedi clywed?'

Suddodd calon Elwyn. 'Clywed be?' gofynnodd yn betrus.

'Tân. Yn yr Adran. Mae'r gwasanaeth tân bron â gorffen ei ddiffodd e. *Mess* ar y diawl.'

'O, *shit!*'

'Ie, *shit*. Labordai wedi llosgi'n ulw. Swyddfeydd hefyd. Elwyn...'

'Be?'

'Mae'n debyg mai yn dy swyddfa di ddechreuodd y tân...'

'Be?!'

'Paid â phoeni. Mae'n amlwg bod y tân yn fwriadol. Digon o ôl petrol o gwmpas y lle. Felly paid â phoeni am hynny o leia. Mae pawb yn gwybod na fyset ti'n rhoi dy swyddfa dy hun ar dân!'

'Beth am y cyfrifiaduron?'

'Elwyn...'

'Steff?'

'Sdim byd ar ôl.'

8

Darllenodd Elwyn yr e-bost a gyrhaeddodd ei ffôn unwaith eto, linell wrth linell.

Annwyl Dr Llywelyn,

Erbyn hyn mae'n debyg eich bod wedi gweld bod rhan fawr o Adeilad John Price, a'r Adran Ffiseg, wedi'u llosgi i'r llawr, gan gynnwys eich swyddfa chi. Mae'n debyg eich bod yn poeni am y cynlluniau a oedd ar ddisg galed y rhwydwaith. Peidiwch â phoeni sut ydw i'n gwybod am hyn, ond mae gen i gopi o bob dim. Pob dim.

Byddaf yn eistedd ar ochr ogleddol y gofgolofn ryfel yn y dref am hanner awr wedi pedwar fory. Os ydych chi eisiau'r cynlluniau yn ôl, byddwch yno.

Hwyl,

Ll.

Edrychodd ar y cyfeiriad e-bost – 'lle'. Roedd hwnnw'n canu cloch. Llwythodd wefan y coleg a chlicio ar 'Cysylltiadau'. Ymddangosodd tudalen gyda nifer o flychau gwag. Teipiodd 'lle' i mewn i un ohonynt a chlicio ar 'Chwilio'. Doedd y cysylltiad gwe ddim yn gyflym iawn ar ei ffôn ac aeth ychydig o amser heibio cyn i'r canlyniadau ymddangos. Bu bron â chwerthin yn uchel pan welodd i bwy roedd y cyfeiriad yn perthyn. Lydia Evans, Adran y Gymraeg. Ysgrifenyddes oedd Lydia, yn ei chwedegau. Ar ôl blynyddoedd o wrthod defnyddio'r dechnoleg newydd roedd wedi cyfaddawdu yn ddiweddar ac wedi derbyn cyfrif e-bost. Ond roedd meddwl amdani'n hacio i mewn i'w gyfrifiadur a chael copi o'i gynlluniau ymchwil yn chwerthinllyd. Meddyliodd yn galetach am y peth a dechreuodd boeni. Os nad Lydia a anfonodd yr e-bost, pwy wnaeth? Rhywun oedd â digon o sgiliau cyfrifiadurol i allu hacio cyfrif e-bost ac anfon negeseuon ohono. Doedd hyn ddim yn newyddion da.

Edrychodd ar ei ffôn am ychydig eiliadau eto cyn ei roi yn ôl ar y cwpwrdd wrth ymyl y gwely. Cododd a gwisgo'n gyflym. Er y gwyddai nad oedd llawer o bwynt, penderfynodd fynd i'r campws i weld y difrod ac i ddangos ei wyneb.

9

Cerddodd Elwyn i fyny'r bryn tuag at y campws. Er ei bod hi'n ganol nos, os nad yn oriau mân y bore erbyn hyn, roedd awel gynnes yn chwythu drwy ei wallt du. Roedd ei wallt wedi dechrau britho ond doedd hynny ddim yn ei boeni – roedd y blewiach gwyn uwch ei glustiau yn gweddu i'r ddelwedd o ddarlithydd roedd wedi ei chreu iddo'i hun, ynghyd â'i grysau ffasiynol a throwsus *chinos*. Nid bod Elwyn wedi rhoi llawer o sylw i ba ddillad roedd e wedi eu taflu amdano ar frys ryw bum munud yn ôl. Roedd wedi cydio yn y crys cyntaf a welodd yn y cwpwrdd a phâr blêr o jîns cyn rhedeg allan o'r tŷ teras ar y Buarth yng nghanol y dref. Gallai weld adeilad awdurdodol y Llyfrgell Genedlaethol yn edrych i lawr arno. Roedd llif rheolaidd o fyfyrwyr yn cerdded i fyny'r bryn ar eu ffordd yn ôl o noson mas yn y dre. Doedd Elwyn ddim wedi meddwl gwisgo cot ond roedd yn ddigon cynnes yn llewys ei grys. Roedd fel pe bai'r concrid yn chwysu gwres y dydd. Edrychodd i fyny tuag at y campws unwaith eto a gweld rhyw wawr goch uwchben y Llyfrgell Genedlaethol a Neuadd Pantycelyn. Suddodd ei galon. Hyd yn hyn, roedd Elwyn yn rhyw hanner gobeithio mai jôc wael neu hunllef ofnadwy oedd y newyddion erchyll. Ond erbyn hyn, gallai weld golau glas seirenau yn chwyrlïo. Brysiodd yn ei flaen.

10

Mewn ystafell fechan, mewn tŷ mawr yn y Waun, estynnodd merch ifanc am ei ffôn hithau. Roedd wedi derbyn cadarnhad bod rhywun wedi darllen ei neges. Gwenodd, cyn troi yn ôl at ei chyfrifiadur. Ar hwnnw roedd llinell ar ôl llinell o god. Edrychai am eiliad fel pe bai'n ceisio cofio'n union beth roedd hi'n ei wneud, ond yna dechreuodd ei dwylo hedfan dros y bysellfwrdd.

11

Cerddodd Elwyn heibio i Neuadd Pantycelyn. Roedd y lle'n olau i gyd a sŵn cerddoriaeth a gweiddi myfyrwyr yn atseinio o'r ffenestri agored. Aeth ar hyd y llwybr tywyll a oedd yn arwain tuag at yr adrannau academaidd. Croesodd faes parcio gwag a mynd drwy dwnnel byr ac i fyny'r grisiau yr oedd wedi eu dringo ganwaith, filwaith, wrth fynd i'w waith. Neidiodd ei galon i'w wddf wrth weld yr olygfa o'i flaen. Roedd yr adeilad urddasol, hardd a arferai sefyll yn dal dros y campws wedi diflannu; y briciau coch, wedi eu gorchuddio â iorwg, wedi duo, a'r planhigion wedi llosgi'n ulw. Roedd y ffenestri mawr, llydan a arferai edrych allan dros Fae Ceredigion bellach yn gorwedd wedi'u malu a'u plygu a'u warpio. Dymchwelwyd y waliau allanol a gallai weld i mewn i gregyn swyddfeydd ei gyd-weithwyr. Ceisiodd ddyfalu beth oedd rhai o'r siapiau duon a welai. Er bod sioc yr olygfa wedi atal Elwyn rhag cerdded ymhellach, roedd tâp glas a melyn yr heddlu yn ei rwystro hefyd. Wrth ddod ato'i hun, edrychodd o'i gwmpas i weld a oedd unrhyw un yno roedd yn ei adnabod. Gwelodd Steff yn codi ei law arno o ochr yr adeilad, ar y lôn a oedd yn arwain i fyny'r bryn at y Llyfrgell ac adeilad yr Undeb. Edrychodd am ffordd i gyrraedd at ei gyd-weithiwr. Camodd yn sydyn dros y tâp glas a melyn a rhedeg draw at Steff.

'Hei, Elwyn, ti'n iawn?'

'Shwd wyt ti?'

'O, fel y boi, Elwyn, fel y boi!' atebodd Steff yn sarcastig.

Anwybyddodd Elwyn e a gofyn, 'Be ma'r heddlu yn dweud?'

'Dim rhyw lawer.' Tynnodd Steff yn ddwfn ar ei sigarét. 'Mae'n gynnar eto i ddweud unrhyw beth yn swyddogol. Ond yn answyddogol, dywedodd Aled Edwards wrtha i fod y tân wedi dechrau yn y swyddfa gornel ar y llawr cynta – dy swyddfa di.'

'Blydi hel!' Oedodd Elwyn. ''Nes i adael y swyddfa neithiwr am saith. Ac fe 'nes i droi popeth bant, fel arfer, wrth gwrs.'

'Dwi'n meddwl ei bod hi'n glir nad damwain oedd hyn. 'Drych ar y lle! Ma hyn dipyn mwy na chyfrifiadur yn gordwymo. Ma rhywun wedi dechrau'r tân 'ma'n fwriadol.'

'Oes rhywun wedi'i anafu?'

'Sai'n meddwl. Doedd neb wedi arwyddo'r gofrestr gweithio'n hwyr ond dyw hynny ddim yn golygu llawer, fel ti'n gwybod. Ma rhywun wrthi'n mynd drwy'r rhestr staff a myfyrwyr ymchwil, ac yn ffonio i tsiecio, ond does neb wedi dod o hyd i unrhyw un. Diolch byth.'

'Ie, diolch byth.'

'Beth am dy ddata di?'

Siglodd Elwyn ei ben. 'Roedd pob dim ar gyfrifiadur yr Adran. Ac ma hwnna 'di mynd.' Am ryw reswm na allai ei esbonio, doedd e ddim am ddweud wrth Steff am y neges e-bost ryfedd a dderbyniodd ryw hanner awr ynghynt.

'Ti'm yn gwneud copi o bob peth?'

'Na, dim yn ddiweddar. 'Di bod yn rhy brysur.' Cododd ei ddwylo i'w lygaid a phwyso ei ben yn ôl mewn rhwystredigaeth bur. 'Aaa!'

'Paid â phoeni, boi,' meddai Steff. 'Dwi'n siŵr bydd popeth yn ocê.'

Edrychodd Elwyn heibio i ysgwydd Steff. Gwelodd ddyn tal, blin yr olwg, yn gwisgo siwt drwsiadus yn brasgamu i'w gyfeiriad. 'O na, ma'r Pennaeth yn dod. Dere, ewn ni i gael diod cyn iddo fe gael cyfle i'n mwydro ni.'

'Ocê, dere 'nôl i'r tŷ.'

A llithrodd y ddau i'r cysgodion.

Roedd Steff yn byw mewn tŷ cyffyrddus, er braidd yn fach, yn un o'r strydoedd cul yng nghysgod y Llyfrgell Genedlaethol.

'Dere mewn,' dywedodd Steff, wrth gamu dros y trothwy.

'Diolch iti,' dywedodd Elwyn mewn llais blinedig.

Dilynodd Elwyn Steff i mewn i'r gegin daclus, chwaethus. Estynnodd Steff am ddau wydr oddi ar y silff, a'u gosod ar y bwrdd. Agorodd gwpwrdd uwchben y popty ac estyn potel o wisgi hanner llawn ohono. Tywalltodd fesur hael i Elwyn ac un iddo'i hun. Amneidiodd at Elwyn. Cododd hwnnw'r gwydr.

'I goffadwriaeth Adeilad John Price.'

'... John Price,' dywedodd Elwyn, ac yfodd y ddiod ar ei phen. Cododd Steff ei aeliau a thywallt un arall iddo.

Estynnodd Elwyn un o'r seddi uchel o gysgod y bar brecwast. Dringodd i eistedd arni, derbyn y gwydr oddi wrth Steff am yr ail dro ac edrych i'w waelodion.

'Shwd ddiawl alle hyn ddigwydd, Steff? Pwy fyse'n llosgi adeilad cyfan i'r llawr? Chi'n methu gwneud pethe fel'na dyddie 'ma. Chi'n garantîd o gael eich dal!'

Sipiodd Steff ei wisgi yn araf ac edrych ar Elwyn dros ben ei wydr.

'Pwy a ŵyr! Ma pobol nyts i gael. Anarchwyr. *Anti-capitalists*. Cangen Aber o Al-Qaeda... neu jyst rhywun efo *grudge* yn erbyn yr Adran, neu rywun yn yr Adran.'

'Ti'n hollol siŵr bod y tân yn fwriadol?'

Oedodd Steff cyn ateb. 'Ydw, dwi ddim yn meddwl y gallai gael ei gynnau'n ddamweiniol. Meddylia faint o hyfforddiant iechyd a diogelwch rydyn ni wedi ei gael dros y blynyddoedd. Faint o *drills*. Faint ydyn ni'n ei dalu am yswiriant. Cred di fi, mae rhywun wedi llosgi'r lle'n fwriadol. Ond y cwestiwn yw, pwy?'

'Alle fe fod yn unrhyw un, fel ti'n dweud. Ma digon o bobol ryfedd mas 'na.'

'Rhywun ma'r bòs wedi'i groesi falle?'

'Falle. Braidd yn eithafol, ti'm yn meddwl? Ysgrifennu adolygiadau ciaidd ma academics yn ei wneud, nid llosgi adeiladau!'

Gwenodd Steff. 'Mae'n debyg dy fod ti'n iawn. Dwi'n amau a gawn ni wybod pwy wnaeth. Tystiolaeth yn reit brin, weden i.' Oedodd Steff. 'Bydd y bòs yn tampan.'

Canodd ffôn Elwyn unwaith eto, a neidiodd. Cyflymodd ei galon wrth iddo agor ei negeseuon e-bost. Ochneidiodd.

'Ar y gair,' dywedodd a darllen y neges oddi wrth y Pennaeth Adran yn uchel:

Annwyl bawb,

Byddwch yn ymwybodol erbyn hyn bod tân sylweddol wedi bod yn Adeilad John Price heno a bod difrod enfawr wedi ei wneud. Dylech weithio o adref dros y dyddiau nesaf hyd nes y clywch yn wahanol.

Cofion,

Pat.

'Iawn, yndê?' dywedodd Steff, gyda gwên.

Canodd ffôn Elwyn eto. Darllenodd yr ail neges gan y Pennaeth Adran mewn llais blinedig:

Elwyn,

Dwi isie dy weld di peth cynta fory. Swyddfa'r Deon.

P.

'*Shit.* 'Se'n well i fi fynd adre,' dywedodd Elwyn, a thaflu gweddill y wisgi i lawr ei gorn gwddw. 'Diolch. Wela i di fory.'

'Ie… wela i di fory, Elwyn. Paid â phoeni, ti yw *golden boy* yr Adran Ffiseg, cofia. Fydd y Pennaeth ddim yn flin gyda *ti* o bawb.' Cyn iddo allu dweud mwy roedd Elwyn wedi cau'r drws ffrynt ar ei ôl.

Am amser hir ar ôl i Elwyn adael, eisteddodd Steff wrth y bwrdd brecwast yn syllu i waelod ei wydr.

13

Y DIWRNOD CANLYNOL

Roedd Siôn yn eistedd ar un o'r meinciau pren a oedd wedi eu gosod o gwmpas y campws. Roedd y gwres oddi tano'n annioddefol – roedd hi'n ganol dydd ac roedd y tywydd poeth a fu'n sychu ac yn llosgi'r wlad ers wythnosau yn bygwth parhau drwy gydol yr haf. Allai Siôn ddim cofio'r tro diwethaf iddi lawio ac roedd pob defnydd dianghenraid o ddŵr wedi ei wahardd. Doedd dim blewyn glas ar ôl yn unman. O'i flaen roedd rhes o geir wedi eu parcio, pob un wedi ei orchuddio â haenen o lwch. Roedd rhai o'r bechgyn o'r un flwyddyn ysgol ag e wedi sgwennu yn llwch ambell un. Negeseuon fel 'Glanhewch fi', '*My other car's the Batmobile*' ac ambell ddiagram anweddus. Doedd neb wedi dileu'r negeseuon oherwydd, wrth gwrs, roedd golchi ceir yn anghyfreithlon yn y sychder mawr!

Roedd Siôn wedi gweld ambell gar heddlu yn gyrru heibio i gyfeiriad yr Adran Ffiseg, neu lle'r arferai'r Adran Ffiseg fod, atgoffodd ei hun. Roedd mwg llwyd golau yn dal i godi uwchben y coed y tu draw i adeilad yr Adran Ieithoedd Modern a gallai Siôn glywed sŵn pobol yn gweiddi ar ei gilydd er na allai ddeall beth roedden nhw'n ei ddweud. Gwthiodd ei wallt du yn ôl o'i dalcen chwyslyd.

Doedd Siôn ddim yn poeni rhyw lawer am y gwres, fodd bynnag. Byddai'n dod at y fainc hon, neu'r fainc ar gyrion y coed uwchben y cae-bob-tywydd, neu'r fainc wrth fynedfa'r Adran Ffiseg bob amser cinio. Deuai â'i frechdanau a'i iPod gydag e, a gwylio'r byd yn mynd heibio. Roedd Ysgol y Traeth bum munud o gerdded o gampws y brifysgol, a sleifiai nifer o ddisgyblion hŷn yr ysgol draw i'r campws er mwyn yfed *cappuccinos* ac ymddwyn fel myfyrwyr prifysgol am awr fach.

Roedd e'n bêl-droediwr da ond doedd ganddo'r un criw i chwarae â nhw. Felly, deuai at ei fainc bob dydd, a darllen. Edrychodd o'i gwmpas. Melltithiodd nad oedd wedi dod â'i sbectol haul oherwydd roedd yr haul yn ei ddallu. Gwelodd ffigwr tal yn cerdded lan y rhiw. Crychodd Siôn ei dalcen wrth wylio. Wrth i'r ffigwr ddod yn agosach gwelodd mai Llinos Jones oedd hi. Edrychodd Siôn i lawr yn gyflym mewn embaras. Diolchodd fod ei wyneb eisoes yn goch oherwydd y gwres wrth iddo wrido. Cerddodd Llinos heibio heb edrych arno.

14

Roedd Llinos wedi bod yn crwydro o gwmpas y campws am dipyn y diwrnod hwnnw. Merch dal iawn am ei hoedran oedd hi, talach na phob un bachgen yn ei blwyddyn, a phob bachgen yn y flwyddyn uwch na hi hefyd, a dweud y gwir. Roedd hi'n feinach na gwelltyn, ac roedd ganddi fop o wallt golau. Roedd ar hanner y merched ei hofn hi, yr hanner arall yn gwneud hwyl am ei phen, a'r bechgyn yn ansicr sut i'w thrin. Doedd ganddi hithau, chwaith, ddim rhyw lawer o ffrindiau. Unwaith iddi allu dianc drwy gatiau'r ysgol, tynnai siaced ysgafn las o'i bag a'i chau hyd at y top, a gosodai sbectol haul ar ei thrwyn. Erbyn iddi gyrraedd canol y campws roedd hi wedi ymdoddi'n llwyr i'r llu o fyfyrwyr eraill oedd yn mynd a dod. Ar ôl casglu brechdan, creision a diod o siop yr Undeb, ei hoff ffordd o dreulio'i hawr ginio oedd dod o hyd i gornel dawel yn y llyfrgell, agor ei gliniadur a chrwydro'r we. Ddwy flynedd ynghynt, ar ôl wythnos o waith diddiwedd yn ystod ei gwyliau haf, roedd Llinos wedi llwyddo i gael mynediad i gronfeydd y brifysgol. Gallai gael mynediad at bopeth oedd ar gael i fyfyrwyr, a phethau eraill hefyd. Wrth edrych ar adnoddau dysgu'r gwahanol adrannau roedd wedi dysgu am ffiseg niwclear, athroniaeth, cemeg, gwleidyddiaeth a llenyddiaeth. Gallai ddyfynnu testunau gosod myfyrwyr Adran y Gymraeg ac roedd hi'n gwybod sut i ddefnyddio hafaliadau hydrodynamig. Ysai am fwy o wybodaeth. Roedd fel cyffur iddi.

Weithiau, câi drafferth dod o hyd i ddesg dawel, yn enwedig pan oedd y myfyrwyr yn brysur. Ar ddiwrnodau fel heddiw, fodd bynnag, roedd y llyfrgell yn wag. Wythnos ola'r tymor oedd hi, ac roedd cyfnod yr arholiadau wedi gorffen. Dewisodd ddesg yng nghornel pella'r llyfrgell ac eistedd i wynebu'r olygfa hyfryd o'i blaen. Edrychodd o'i chwmpas am eiliad. Tynnodd ei chyfrifiadur Macbook o'i bag a theipio ei chyfrinair yn gyflym. Ymddangosodd y *desktop* glân, di-lol o'i blaen. Un o'r lluniau *default* oedd ganddi'n gefndir – llun o dwyni tywod mewn rhyw ddiffeithdir yn Affrica. Doedd Llinos ddim wedi trafferthu i'w newid. Cliciodd ar y porwr gwe. Teipiodd gyfeiriad yn gyflym i'r blwch ar dop y sgrin. Ymddangosodd blwch arall yn gofyn am enw a chyfrinair. Teipiodd y ddau fel fflach. Edrychodd o'i chwmpas wrth i'r wefan feddwl am y peth. Diawliodd fod y cysylltiad mor araf. Roedd ambell fyfyriwr yn crwydro ymysg y silffoedd tal, rhai yn amlwg yn chwilio'n ddyfal am rywbeth, eraill yn crwydro'n ddiamcan. O'r diwedd, ymddangosodd tudalen ar y sgrin. Roedd hi wedi llwyddo i gyrraedd cronfa ddata'r brifysgol. Dechreuodd chwilio.

15

Roedd hi wedi llwyddo i hacio i mewn i gyfrifiadur yn yr Adran Ffiseg yn ddiweddar. Roedd hi wedi bod yn edrych drwy'r cyfrifiadur arbennig hwnnw ers wythnosau ac wedi dod o hyd i bethau hynod o ddiddorol. Yn ôl ei harfer, roedd hi wedi copïo'r deunydd diddorol i ofod cudd ar rwydwaith y Brifysgol dros dro cyn gwneud copi personol i fynd gyda hi. Cam bach i geisio osgoi tynnu sylw oedd hyn. Heddiw roedd wedi dod â disg galed allanol gyda hi, un fach, ddu, maint terabeit. Rhoddodd y plwg USB yn y cyfrifiadur a disgwyl iddo adnabod y ddisg. Cliciodd ar y ffeil, a'i llusgo i'r ddisg. Roedd hi'n ffeil fawr. Yn ffodus, roedd wedi buddsoddi mewn disg galed arbennig o gyflym. Dangosai'r ffenest fod tair munud ar ôl. Edrychodd Llinos o'i chwmpas.

O gornel ei llygad gwelodd rywbeth rhyfedd. Ym mhen pellaf un o'r staciau o silffoedd uchel rhyngddi hi a'r grisiau a'r allanfa, roedd porthor yn siarad i mewn i'w radio. Roedd yn edrych i'w chyfeiriad hi ond, am ryw reswm, yn gwrthod edrych arni'n uniongyrchol. Er gwaetha'r ffaith ei bod hi'n ferch ifanc, neu efallai oherwydd ei bod yn ferch ifanc, roedd hi wedi dysgu sylwi ar bobol yn ymddwyn yn rhyfedd. Daliodd i deipio ond edrychodd yn ôl ar y ffenest a ddywedai wrthi faint o amser oedd ar ôl.

Hanner munud. 30 o eiliadau hir iawn.

Edrychodd yn ôl ar y porthor. Roedd cyd-weithiwr wedi ymuno ag e.

Deg eiliad yn weddill. Cadwodd Llinos un llygad ar y *countdown* ac un arall ar y ddau borthor. Wedi gorffen! Roedd y ddau'n cerdded tuag ati ond tynnodd Llinos y ddisg galed o'r gliniadur, ei gau'n glep a chodi o'r sedd. Cerddodd i ffwrdd yn gyflym ac yna rhedeg i lawr un o'r llwybrau cul rhwng y silffoedd. Clywodd sibrydion o banig y tu ôl iddi a sŵn traed yn ei dilyn.

Roedd meddwl Siôn ymhell. Roedd wedi symud o'r fainc i eistedd ar y glaswellt crin. Roedd hwnnw'n gynnes braf ac roedd Siôn wedi dechrau hepian. Yn sydyn, eisteddodd i fyny ac edrych ar ei oriawr mewn panig. Oedd hi'n amser mynd 'nôl i'r ysgol?! Ymlaciodd. Roedd deg munud ganddo cyn bod angen iddo fod yn ei ddosbarth cofrestru. Roedd ei lyfr wedi disgyn; cododd hwnnw a'i osod yn ôl yn ei fag. Daearyddiaeth a Maths i edrych ymlaen atyn nhw cyn mynd adre. Gallai fod yn waeth. Cododd ei fag a'i daflu dros ei ysgwydd a chychwyn yn ôl i gyfeiriad yr ysgol. Cyn iddo allu mynd mwy nag ychydig gamau, teimlodd law ar ei gefn a chlywed llais isel, benywaidd yn sibrwd yn ei glust:

'Cymer hwn.' Teimlodd rywbeth yn disgyn i mewn i boced ochr ei fag.

Edrychodd o gwmpas i weld pwy oedd yno. Tagodd. Llinos, a'i hwd dros ei phen! Er mor rhyfedd oedd hyn yn y tywydd chwilboeth, sylwodd Siôn ddim. Cochodd eto, ond edrychodd Llinos ddim arno un waith wrth iddi ruthro i ffwrdd ar hyd y lôn a oedd yn arwain tuag at y ganolfan chwaraeon.

Bu bron i Siôn weiddi 'Hei!' ar ei hôl, ond dim ond ebychiad bach ddaeth allan, a dim ond fe ei hunan a glywodd.

17

Cerddodd Llinos yn gyflym iawn – roedd hi bron iawn yn rhedeg mewn gwirionedd. Doedd hi ddim wedi mentro edrych yn ôl ers iddi weld Siôn ond gwyddai bod y ddau borthor yn dal i fod y tu ôl iddi yn rhywle. Gweddïodd y byddai Siôn yn ddigon deallus i gadw'n dawel a mynd yn ôl i'r ysgol a chadw gafael ar y ddisg. Gobeithio hefyd nad oedd y porthorion wedi ei stopio yntau. Wrth i lori uchel basio heibio iddi ar y ffordd, neidiodd i mewn i'r gampfa. Anwybyddodd y ferch wrth y dderbynfa a ofynnodd am ei cherdyn aelodaeth. Rhedodd drwy'r drws i ystafell gynnes, laith y pwll nofio ac allan yr ochr arall. Cafodd syniad arbennig – rhedodd i mewn i'r ystafelloedd newid. Fyddai'r porthorion ddim yn gallu ei dilyn i'r fan honno. Agorodd y drws a symud yn gyflym tua chefn yr ystafell. Tynnodd y ffenest ar agor. Synnodd gymaint o nerth oedd ei angen er mwyn agor yr hen ffenest. Ar ôl sawl ysgytwad roedd bwlch digon llydan wedi agor i alluogi Llinos i ddringo drwyddo. Wrth iddi dynnu ei choes ar ei hôl clywodd y drws yn cael ei agor gyda bang uchel a sgrech gan un o'r menywod a oedd yn yr ystafell newid. Gwenodd Llinos wrth iddi redeg heibio i'r Llyfrgell Genedlaethol ac i lawr ar hyd y llwybr i'r dre.

18

Chwarter awr yn ddiweddarach roedd Llinos yn cael hoe ar fainc wrth ymyl maes criced y dre. Dadansoddodd beth oedd newydd ddigwydd. Roedd hynny'n agos, meddyliodd. Am y tro cyntaf erioed, roedd hi bron â chael ei dal yn hacio i mewn i system y brifysgol. A dweud y gwir, doedd hi ddim yn poeni cymaint â hynny am gael ei dal. Y peth gwaethaf allai ddigwydd iddi fel plentyn ysgol oedd cael ei gwahardd o'r campws, mae'n debyg, a buan iawn y buasai hi'n darganfod pethau mwy diddorol, mwy heriol i'w gwneud na hacio i mewn i gyfrinachau academyddion sych. Roedd mwy o ddiddordeb ganddi mewn gwybod sut yn union y gwnaethon nhw ganfod ei bod hi'n hacio yn y lle cyntaf. Roedd hi wastad wedi meddwl ei bod hi'n ofalus, ond mae'n amlwg nad oedd hynny'n wir y tro hwn...

Roedd Siôn wedi cael trafferth goroesi ei wersi
Daearyddiaeth a Mathemateg, ac roedd ei athrawon
wedi sylwi. 'Siôn! Deffra! Lle mae dy feddwl di?'
gofynnodd Mrs Williams iddo, ddwywaith. Ar
ddiwedd y dydd cerddodd allan drwy gefn yr ysgol,
gan gadw'n glòs at wal y neuadd. Roedd y ddisg yn
llosgi twll yn ei boced. Roedd wedi edrych i weld
beth yn union roedd Llinos wedi ei roi iddo yn y
toriad rhwng y ddwy wers. Roedd wedi adnabod y
bocs sgwâr fel disg galed ac wedi ei stwffio i waelod
ei fag. Roedd yn amlwg ei bod yn bwysig i Llinos ac
roedd e am wneud yn siŵr ei bod yn ei chael yn ôl
rywsut.

Cerddodd yn gyflym i lawr y rhiw serth a
arweiniai at bentref Llanbadarn. Roedd yr haul isel
yn ei lygaid ac roedd ceir y rhieni a oedd newydd
gasglu eu plant o'r ysgol yn symud heibio iddo'n un
llif cyson a sŵn pob injan ac egsôst yn rhuo yn ei
glustiau. Rhwng yr haul a'r sŵn llwyddodd Llinos
i ymddangos o nunlle wrth ei ymyl am yr ail dro y
diwrnod hwnnw.

'Hei!' Roedd Siôn wedi dod o hyd i'w lais o'r diwedd.

'Hei!' atebodd Llinos yn hunanfeddiannol, gan wenu'n hyderus arno. Cochodd Siôn.

'Ti'n ocê, wyt?' gofynnodd, gan geisio peidio â baglu dros ei eiriau.

'Fel gweli di.' Daliai i wenu.

'Ydi'r ddisg yn dal gen ti?'

'Ydi.'

'Ga i hi 'nôl?'

'Ym, wrth gwrs.' Stryffaglodd i waelod ei fag ac estyn y ddisg i Llinos. Gafaelodd hithau ynddi yn gyflym, mor gyflym nes synnu Siôn.

'Diolch iti am hynna.' Edrychodd arno am amser hir, heb ddweud gair arall. Edrychodd Siôn arni am ychydig ond edrychodd hi i ffwrdd.

'Ti ddim am ofyn beth yw e?'

'Yyym.'

''Na i ddweud wrthot ti, os ti isie gwbod. I ddiolch am gadw'r ddisg i fi.'

'Ocê.'

'Dere 'te. Ewn ni lawr am y dre.'

Cerddodd y ddau gyda'i gilydd heibio i dai teras Llanbadarn, dau gysgod yn cadw'n glòs at waliau'r tai wrth i draffig diwedd y prynhawn ruthro heibio.

Doedd Siôn ddim yn gallu credu ei lwc. Roedd Llinos Jones yn siarad ag e! A dweud y gwir, doedd e ddim wedi cael cyfle i ddweud gair ers iddyn nhw ddechrau cerdded. Ond doedd dim ots ganddo, doedd e ddim yn siŵr a allai gael gair o'i geg, beth bynnag. Roedd dwylo Llinos yn chwifio o gwmpas wrth iddi siarad yn gyffrous am yr hyn roedd hi wedi bod yn ei wneud dros y flwyddyn ddiwethaf.

'Dysges i'r *basics* gan fy nhad – sut i sgwennu cod, sut i raglennu ac ati. Ond ma gymaint o wybodaeth mas 'na ar y we, mae'n eitha hawdd. Y peth cynta wnes i oedd creu proffil i fi'n hun fel myfyriwr, myfyriwr rhan-amser, fel bod neb yn cymryd gormod o sylw ohona i. Doedd dim angen unrhyw sgiliau cyfrifiadurol ar gyfer neud hynna, mond creu *ID* ffug – *copy and paste* yn hen ystyr y gair.' Chwarddodd. Chwarddodd Siôn hefyd oherwydd ei fod e'n meddwl y dylai, yn fwy na bod y jôc mor ddoniol â hynny. Edrychodd Llinos arno a gwenu.

'Unwaith imi neud hynny ro'n i'n gallu cael mynediad at rwydwaith y brifysgol. Wedyn, sgwennes i raglen oedd yn fy nalluogi i i fewngofnodi i unrhyw gyfrifiadur ar rwydwaith y coleg. Rhaglen ddigon hawdd – mae'r rhan fwyaf o sefydliadau mawr yn defnyddio rhywbeth tebyg, hyd yn oed y brifysgol. Ges i hwyl yn gwylio pobol yn gweithio ac yn darllen e-byst. Wrth neud hynny, ddysges i sut i gael mynediad at storfa ffeiliau'r coleg, adroddiadau cyfrinachol, manylion cyflogaeth, hen gofnodion ystadau ac ati ac ati. Oeddet ti'n gwbod bod twnnel yn mynd o dan y bryn i gysylltu'r Llyfrgell Genedlaethol a'r Hen Goleg?'

'Na!'

'Oes, wir iti! Ond mae wedi cael ei lenwi bellach, yn anffodus. Beth bynnag, galla i gael gafael ar bethau mwy diddorol na hynny.'

'O? Dyna sy ar y ddisg?'

'Ie.' Gwenodd arno eto. 'Ymchwil gan ddarlithydd o'r enw Elwyn Llywelyn. Mae e wedi dyfeisio rhywbeth sydd yn amlwg yn bwysig iawn, ond dwi'n meddwl ei fod e wedi colli ei unig gopi yn y tân neithiwr.'

'Heblaw am dy gopi di?'

'Ie, heblaw am fy nghopi i.'

'Wyt ti'n mynd i roi'r gwaith yn ôl iddo fe?'

'Ydw, ond dwi'n mynd i ofyn iddo am gymwynas yn ôl.'

'Beth?'

'Aha! Gei di weld – falle…' atebodd yn ddireidus.

'Pam wyt ti'n dweud hyn i gyd wrtha i?' gofynnodd Siôn, er bod ei galon yn gweiddi arno i beidio. 'Nag wyt ti'n poeni y dyweda i wrth rywun? Ma be ti 'di neud yn drosedd, ydy e?'

'Ddylwn i boeni? *Wyt* ti'n mynd i ddweud wrth rywun?'

Oedodd Siôn am eiliad. 'Na.'

'Wel 'te, beth yw'r broblem?!'

'Mae e'n anghywir, ti'm yn meddwl?' Roedd calon Siôn yn gweiddi'n uwch erbyn hyn, yn dweud wrtho am gau ei geg fawr wirion.

'Yn dechnegol, falle. Ond does neb yn cael ei frifo, nag oes? Dwi ddim yn peryglu bywyd unrhyw un. Jyst eisie gwybod mwy ydw i, dyna i gyd. Fydd y brifysgol fawr callach ac os bydd Dr Llywelyn yn cadw'r gyfrinach, fydd dim problem.'

'Nid ti wnaeth losgi'r adeilad Ffiseg i'r llawr felly?' gofynnodd Siôn.

'Nage siŵr! Pwy a ŵyr pwy wnaeth hynna. Cyd-ddigwyddiad bach lwcus.'

'Lwcus!' meddyliodd Siôn wrtho'i hun, ond ddywedodd e ddim byd. Roedd e'n falch o glywed nad Llinos gychwynnodd y tân, ac roedd yn ei chredu.

'Beth ddigwyddodd heddi felly?' Roedd Siôn yn dechrau teimlo ychydig yn fwy hyderus erbyn hyn. Roedd y ddau wedi cyrraedd ymyl caeau Blaendolau, bron at y gylchfan fawr ar gyrion y dre.

Am y tro cyntaf ers iddyn nhw ddechrau siarad, roedd Llinos yn dawel am funud, fel pe bai'n ystyried y cwestiwn yn ofalus.

'Dwi ddim yn hollol siŵr, mae'n rhaid imi ddweud. Ro'n i'n eistedd yn y llyfrgell fel dwi wedi neud bob dydd ers dechrau'r tymor. Ro'n i newydd orffen copïo'r ffeil i'r ddisg pan ddaeth y porthorion. Caeais i'r gliniadur, stwffio fe mewn i 'mag a rhedeg, wel, cerdded. Lwcus 'mod i'n bymtheg a nhw'n ddeugain oed! Llwyddes i gyrraedd drws y llyfrgell heb neud ffŷs. Es i lawr y bryn a weles i ti. O'n i'n nabod ti o'r ysgol...'

'Oeddet ti?'

'O'n. Ti ddim yn dweud rhyw lawer ond mae hynna fel arfer yn arwydd da – yn ein hysgol ni, beth bynnag!'

'Ydi, ti'n iawn!'

Roedd y ddau'n cerdded heibio caeau Blaendolau erbyn hyn ac roedd sŵn myfyrwyr bellach yn gymysg â sŵn y traffig. Ond roedd rhyw dawelwch wedi disgyn rhwng y ddau. Cerddon nhw yn y tawelwch am rai munudau ac roedd Siôn wrth ei fodd.

Daeth y ddau at y gylchfan a stopiodd Siôn. Sylwodd Llinos ddim am rai eiliadau a daliodd i gerdded yn ei blaen. Trodd yn ôl ato pan sylwodd a gofyn, 'Be ti'n neud?'

'Dwi'n gorfod mynd adre,' amneidiodd i fyny'r rhiw tua Phenparcau, 'neu bydd Mam wedi anfon y *search parties* mas!'

Edrychodd Llinos arno fel pe bai wedi drysu.

'Ti'm yn gorfod mynd adre?' gofynnodd Siôn.

'Ddim rili. Alla i fod mas tan pryd bynnag dwi moyn.'

'Braf!'

'Hmm,' atebodd. 'Ma'n rhaid i mi fynd i gyfarfod Dr Llywelyn gynta. Hei, ga i dy rif di? Gan 'mod i'n gwbod dy fod di'n *courier* bach da alla i'i drystio!' Gwenodd arno a wincio. Methodd Siôn gofio na dweud ei rif ffôn am gyfnod oedd yn teimlo fel oriau, ac roedd ei fochau'n llosgi.

20

Roedd hi'n hanner awr wedi pedwar ac roedd plant ysgol wedi dechrau cyrraedd y castell i oedi am ychydig ar eu ffordd adre. Eisteddodd Elwyn ar fainc wrth ymyl un o'r waliau cerrig anniben yr olwg. Roedd wedi bod yno ers rhyw ddeg munud yn gwylio pawb yn mynd a dod. Anwybyddai'r plant ond rhythai'n ddrwgdybus ar bob oedolyn âi heibio. Roedd cwpwl ifanc yn cerdded law yn llaw o gwmpas y gofgolofn. Roedd hen ddyn wedi bod yno yn gosod blodyn wrth ei hymyl ac roedd dyn yn eistedd ar fainc arall yn yfed diod allan o botel wydr. Roedd mwy a mwy o blant ysgol o gwmpas y lle. Edrychodd ar ei oriawr. Cododd a cherdded yn araf tuag at y gofgolofn. Er ei fod yn ddigon cyffyrddus, doedd e ddim am gymryd unrhyw risg. Roedd pwy bynnag oedd wedi anfon neges ato yn amlwg yn berson peryglus iawn. Nid ar chwarae bach roedd rhywun yn hacio i mewn i system gyfrifiadurol y brifysgol. Edrychodd dros ei ysgwydd gan ddisgwyl gweld dyn mewn cot fawr ddu a sbectol dywyll yn dod tuag ato. Dim byd. Aeth yn ei flaen. Roedd yng nghysgod y gofgolofn bellach.

Bob ochr iddo gallai weld y tonnau garw yn taro'n erbyn y traeth. Gam wrth gam cerddodd o gwmpas y twr. Doedd dim i'w weld. Oedd 'na? Oedd! Siwmper werdd, yr hwd i fyny a'r pen i lawr. Roedd yn amlwg mai myfyriwr neu blentyn ysgol oedd yno. Edrychodd dros ei ysgwydd eto. Dim byd. Edrychodd 'nôl at y ffigwr llonydd wrth fôn y gofgolofn. Cerddodd yn gyflym a rhuthro at ochr arall y gofgolofn i weld a oedd unrhyw un yno. Doedd neb yno. Trodd yn ei unfan unwaith eto.

'Elwyn Llywelyn?'

Daeth y cwestiwn o gyfeiriad yr hwdi gwyrdd. Llais merch. Llais ifanc. Doedd y ffigwr ddim wedi codi'i phen. Roedd ei dwylo yn ei phocedi.

Ceisiodd Elwyn gadw'r cyffro o'i lais. 'Pwy sy'n gofyn?'

Cododd y ffigwr ei phen. Synnodd Elwyn i weld mai merch ifanc oedd yno. Merch â gwallt golau a llygaid glas. Roedd yn anodd iawn dweud ai myfyrwraig oedd hi ai peidio. Byddai hynny'n gwneud synnwyr – roedd hi'n rhy dal i fod yn ferch ysgol.

'Beth wyt ti'n gwybod am fy nghynlluniau i?' gofynnodd Elwyn, mewn llais a oedd ychydig yn fwy cas nag roedd wedi bwriadu.

'Dwi'n gwybod eu bod nhw'n werthfawr. A dwi'n gwybod bod yr unig gopi gen i.'

Roedd Elwyn yn gegrwth. Sut yn y byd roedd hon yn gwybod unrhyw beth am ei waith?

'Sut...?'

'Dim ots sut. Wyt ti eisiau nhw'n ôl?'

'Ydw. Yn amlwg. Beth wyt *ti* eisiau?'

'Ddown ni at hynny yn y man.' Oedodd. 'Ond paid â 'nilyn i. Paid trio gweithio mas pwy ydw i na sut lwyddes i i gael gafael ar dy waith. Sgwenna hyn i lawr.'

O bellter, gwyliai pâr arall o lygaid y ddau ffigwr wrth ymyl y gofgolofn. Gwelsant Elwyn yn syllu'n gegrwth ar y ffigwr yn y siwmper werdd ac yn tynnu pad o bapur a beiro o'i fag. Gwelsant y ferch yn y siwmper werdd yn codi oddi ar ei heistedd. Roedd hi'n crechwenu o weld yr olwg ar wyneb Elwyn wrth iddo gamu'n ôl mewn sioc wrth weld pa mor dal oedd hi. Cliciodd camera'n wyllt wrth iddi gerdded oddi yno, gan adael Elwyn yn rhythu ar ei hôl. O fewn dim roedd wedi diflannu i ganol y clwstwr anniben o adeiladau wrth ymyl y castell.

21

Cerddodd Llinos yn gyflym drwy'r strydoedd cul y tu ôl i'r castell. Roedd hi'n falch o'r ffordd yr aeth y cyfarfod. Chwarddodd yn dawel wrthi'i hun wrth feddwl am y syndod ar wyneb Elwyn Llywelyn. Doedd hi'n synnu dim, fodd bynnag. Anaml iawn y byddai unrhyw un yn disgwyl iddi fod yn haciwr profiadol. Teimlodd ychydig o drueni drosto am eiliad – roedd e'n ymddangos yn berson digon dymunol. Penderfynodd y buasai siŵr o fod yn rhoi'r gwaith yn ôl iddo ymhen hir a hwyr beth bynnag. Trodd i'r stryd a oedd yn arwain tuag at yr harbwr. Teimlodd Llinos y blew bach yn codi ar ei gwar a throdd yn sydyn i edrych y tu ôl iddi. Doedd dim byd rhyfedd i'w weld. Roedd cath yn cerdded yn ddiog ar hyd y palmant ac roedd pâr ifanc yn dringo i mewn i'w car. Trodd yn ôl tua'r harbwr a cherdded yn ei blaen. Roedd rhyw deimlad annifyr wedi dod drosti mwyaf sydyn, rhyw deimlad bod rhywun yn ei gwylio. Melltithiodd sŵn y gwylanod a'r tonnau a oedd yn boddi unrhyw sŵn traed y tu ôl iddi. Roedd bron â chyrraedd cornel y stryd a wal yr harbwr. Edrychodd yn ôl unwaith eto er mwyn gwneud yn siŵr nad oedd neb yn llechu yn rhywle. Doedd dim i'w weld. Ochneidiodd yn dawel bach gyda rhyddhad. Trodd yn ôl at yr harbwr ac yn sydyn roedd pâr o freichiau cryf wedi cydio ynddi a sach wedi ei rhoi am ei phen. Ceisiodd sgrechian, ond aeth ei byd yn ddu ac yn feddal.

22

Llifai'r traffig allan drwy Benparcau yn gadwyn o oleuadau coch. Taniodd injan fan fach las ym maes parcio'r harbwr a llithrodd allan drwy'r giât. Ar ôl aros am funud neu ddwy manteisiodd ar fwlch yn y traffig i ymuno â'r brif ffordd. Yn araf, araf yng nghanol prysurdeb diwedd dydd, yng nghefn fan ddi-nod, diflannodd Llinos o dref Aberystwyth.

23

Roedd Siôn yn eistedd wrth y bwrdd bwyd yn y tŷ teras bach ym Mhenparcau. O'i flaen, ar liain bwrdd o sgwariau coch a gwyn, roedd platiaid o selsig, tatws stwnsh a grefi yn gyrru arogl hudolus i'w ffroenau. Yn y gegin, roedd ei dad wrth y sinc yn golchi'r llestri a'i fam yn ceisio bwydo ei chwaer fach oedd yn eistedd mewn cadair uchel.

'Mae e mewn hwyliau da heno, on'd yw e?' sibrydodd mam Siôn wrth ei gŵr.

'Ydi. Merch, garantîd i ti,' sibrydodd ei dad.

24

Ar ôl gwylio'r ferch yn cerdded yn bwrpasol o'r castell, ac ar ôl perswadio ei hun i beidio â'i dilyn, rhag ofn, penderfynodd Elwyn fod angen coffi arno. Rhuthrodd i'w hoff gaffi ar y stryd gul a arweiniai at y traeth a gofyn am goffi mawr, du. Gwagiodd ddau becyn o siwgr brown i mewn iddo a'i droi'n araf. Doedd y ferch ddim yn gall, roedd hynny'n amlwg. Roedd yn rhaid iddo fod yn ofalus. Wrth gwrs, roedd yn rhaid iddo gael ei waith yn ôl rywffordd. Roedd yn gwbwl allweddol i weddill ei yrfa. Nid nad oedd modd iddo ail-wneud y gwaith. Er bod y nodiadau wedi eu llosgi, gallai gofio pob dim. Fe gymerai flynyddoedd, fodd bynnag, ac erbyn hynny, gallai'r ferch fod wedi gwerthu'r data i bwy bynnag oedd yn fodlon talu'r pris uchaf. Byddai'r rheiny wedi ei gyhoeddi, rhoi patent arno ac wedi gwneud eu ffortiwn. Ond, roedd yr hyn roedd y ferch ei eisiau yn afresymol ac yn amhosib. Roedd wedi gofyn, na, gorchymyn iddo ei bod hi eisiau mynediad at holl ffeiliau ymchwil yr Adran Ffiseg. Cwbwl amhosib. Yfodd y coffi ar ei ben a cherdded allan.

Deffrodd Llinos yng nghefn y fan. Roedd y sach
o gwmpas ei phen o hyd, felly doedd hi ddim yn
gallu gweld y gyrrwr ac roedd tywyllwch dudew o'i
chwmpas ym mhob man yn gwneud iddi banicio.
Llifodd yr atgofion yn ôl ac, am eiliad, rhewodd
oherwydd maint y braw a deimlai. Anadlodd yn
ddwfn a cheisio rheoli ei hofn. Amcangyfrifodd ei
bod wedi bod yn teithio ers rhyw ugain munud.
Arbrofodd drwy symud ei thraed a'i dwylo.
Doedd Llinos ddim yn meddwl llawer o sgiliau ei
herwgipwyr. Doedden nhw ddim wedi clymu ei
dwylo'n arbennig o dynn. Symudodd ei harddyrnau
yn ôl ac ymlaen mewn cylchoedd ac o dipyn i beth
daeth yn fwy rhydd. Doedden nhw ddim hyd yn oed
wedi archwilio ei phocedi yn drylwyr. Estynnodd i
boced isaf ei siaced a thynnu ei ffôn symudol ohoni.
Roedd hi'n ffôn denau, ysgafn. Roedd hi wedi
defnyddio'r ffôn mor aml fel ei bod hi'n reit hawdd
iddi ei datgloi, dewis enw Siôn o'r rhestr gyfeiriadau
a dechrau teipio heb weld y sgrin. Teimlodd y sŵn
bychan bach yn dweud bod y neges wedi cyrraedd

ffôn Siôn. Daliodd ei bys i lawr dros gornel ei ffôn er mwyn ei diffodd a rhoddodd hi'n ôl yn ei phoced.

26

Clywodd mam Siôn sŵn y ffôn yn canu. Neges destun. Cododd ei haeliau ar ei gŵr a oedd bellach yn sychu'r llestri. Sibrydodd eto,

'Hwyrach bod ti'n iawn! Pwy sy'n ei decstio fe nawr tybed?'

'Merch, garantîd i ti.'

Galwodd mam Siôn yn gellweirus drwodd i'r ystafell fwyta, 'Pwy sy'n tecstio ti 'te, Siôn?'

Clywodd y ddau'r drws ffrynt yn cau yn glep. 'Siôn?!'

Chlywodd Siôn mo'i fam yn galw arno oherwydd roedd yn hanner cerdded, hanner rhedeg i lawr y rhiw tuag at y dref. Cyrhaeddodd waelod y rhiw a gorfod dal yn y ffens fetel oedd rhyngddo a'r afon. Roedd ei wynt yn ei ddwrn. Er gwaetha'r diffyg anadl, rhedodd yn ei flaen dros y bont droed ac ymlaen ar hyd y llwybr seiclo tuag at ganol y dre.

27

Clywodd Elwyn gnoc ar y drws. Doedd e ddim wedi medru gwneud unrhyw beth ers cyrraedd adre. Ceisiodd wneud ychydig o waith ond caeodd y gliniadur ar ôl ysgrifennu brawddeg neu ddwy. Coginiodd bryd o fwyd iddo'i hun ond methodd â bwyta mwy nag ambell lond ceg o'r pasta a'r saws tomato cyn ei daflu i'r bin sbwriel. Ystyriodd ffonio Steff i ofyn a oedd unrhyw fanylion pellach ar gael gan y coleg neu'r heddlu, ond petrusodd cyn codi'r ffôn. Doedd e ddim yn gallu ysgwyd y sgwrs rhyngddo a Llinos o'i feddyliau. Wrth iddo edrych drwy ei gasgliad DVDs er mwyn ceisio cael rhywbeth i'w helpu i ymlacio, clywodd y gnoc. Crwydrodd ei feddwl yn ôl at y sgwrs gyda'r Pennaeth Adran y bore hwnnw. Doedd e ddim yn hapus ond roedd Elwyn wedi llwyddo i'w berswadio nad oedd wedi llosgi'r adeilad cyfan i'r llawr trwy esgeulustod a bod ganddo gopïau (llawer ohonyn nhw!) o'i ddata. Teimlai'n sâl.

Agorodd y drws. Am eiliad, allai e ddim gweld unrhyw un o'i flaen. Edrychodd i lawr a gweld bachgen ifanc yn sefyll o'i flaen. Edrychai tua phymtheg oed.

'Ie?' gofynnodd, braidd yn ddiamynedd.

'Dr Elwyn Llywelyn?'

'Pwy sy'n gofyn?' Roedd Elwyn yn dechrau amau cymhellion unrhyw un yn ei arddegau bellach.

'Siôn Gwilym. Ffrind Llinos, y ferch wnaeth eich cyfarfod chi prynhawn 'ma.' Roedd ychydig o sŵn panig yn ei lais. Meddalodd agwedd Elwyn tuag ato ryw gymaint ond roedd amheuaeth yn ei lais o hyd.

'O?'

'Ma hi mewn trwbwl.'

'Pa fath o drwbwl?'

'Ma rhywun wedi mynd â hi. Rhyw awr yn ôl. Ges i decst ganddi.' Dangosodd ei ffôn i Elwyn. Darllenodd hwnnw'r geiriau'n gyflym.

'Pam dod ata i?'

'Yr unig reswm fyse rhywun yn ei herwgipio hi yw oherwydd beth sydd ganddi. Eich gwaith chi. R'ych chi'n fwy tebygol na fi o wybod lle maen nhw wedi mynd â hi. Pam arall fyse rhywun wedi ei chipio hi?'

'Alla i feddwl am sawl rheswm, os ydi hi wedi trio'r un tric ar bobol eraill ag y gwnaeth hi prynhawn 'ma gyda fi! Cer i ddweud wrth yr heddlu. Wedi meddwl, mi af i i ddweud wrth yr heddlu. Dyna ddylwn i fod wedi gwneud yn y lle cyntaf.'

'Plis. Dim ond chi all helpu Llinos. Eich data chi maen nhw eisiau, nid Llinos. Dim ond chi all feddwl lle maen nhw wedi mynd â hi. Duw a ŵyr be wnân nhw er mwyn cael gafael ar y data.'

'Dim fy mai i yw hyn. 'Nes i ddim gofyn i hyn ddigwydd. Dim ond gwneud fy ngwaith o'n i. 'Nes i ddim gofyn i rywun losgi'r blydi Adran i'r llawr! A 'nes i ddim gofyn am gael fy mlacmelio gan ferch yn ei harddegau! Felly dwed wrtha i pam ddylwn i helpu?!'

Roedd ei lais wedi codi ond sylwodd Elwyn ddim nes iddo orffen. Sylweddolodd ei fod yn gweiddi ac edrychodd o'i gwmpas.

'Oherwydd dyna'r unig ffordd y cewch chi'ch gwaith yn ôl...'

Llamodd calon Elwyn. Roedd hynny'n wir! Dyna'r unig ffordd bellach i gael ei waith yn ôl. Ond sobrwyd Elwyn gan frawddeg nesaf Siôn.

'Ac oherwydd ei bod hi mewn perygl, falle?'

Teimlodd Elwyn gywilydd. Roedd bywyd merch ifanc mewn perygl.

Ochneidiodd yn dawel. 'Ocê, mi wna i helpu. Dere weld y neges 'to. A dere mewn o'r stryd.'

Eisteddodd Elwyn wrth ei ddesg yn ei stydi flêr.
Roedd papurau wedi eu pentyrru ar bob modfedd
ohoni bron. Ar y llawr, ar y ddesg, ar freichiau'r
gadair. Roedd rhai'n gorwedd mewn pentwr a oedd
yn edrych braidd yn ansefydlog ar ben tanc pysgod
nad oedd wedi cael ei olchi ers blynyddoedd.

'Ydych chi'n gwybod bod modd cadw copïau
digidol o erthyglau?' gofynnodd Siôn.

Edrychodd Elwyn arno o gornel ei lygad.

'Ydw, diolch yn fawr. Ond alla i ddim darllen
pethe'n iawn ar sgrin. Na gwneud nodiadau chwaith.
Felly dwi'n argraffu popeth. O leia os oes gen i gopi
papur, dwi'n gwybod bod gen i gopi... yn rhywle.'

Tynnodd Elwyn y cerdyn SIM o ffôn Siôn a'i
roi mewn teclyn darllen cardiau data a oedd wedi
ei gysylltu â soced USB ei gyfrifiadur. Arhosodd i'r
ffenest fach ymddangos a chliciodd ar yr opsiwn i agor
y cynnwys. Cliciodd drwy gynnwys y ffôn hyd nes
iddo ddod at y negeseuon testun. Agorodd y neges
gan Llinos. Ymddangosodd rhestr o fanylion am y
neges – rhif yr anfonwr, yr union amser yr anfonwyd

hi a'r union amser y derbyniwyd hi, a chyfres o rifau yn dangos lleoliad y ffôn wrth anfon y negeseuon. Tynnodd Elwyn y saeth dros y rhifau a gwasgu CTRL a C. Agorodd ffenest ei borwr gwe a theipio Google i'r bar cyfeiriad. Gwasgodd CTRL a V yn y blwch ac ymddangosodd y rhifau yno. Gwasgodd 'Chwilio'. Ymhen eiliadau roedd map wedi ymddangos ar y sgrin, yn ogystal â rhestr o wefannau. Cliciodd Elwyn ar y map a chwyddodd hwnnw i faint y sgrin. Roedd y map ei hun yn foel dros ben – ymddangosai fel ardal anghysbell iawn. Roedd rhwydwaith o lonydd cymysg a chymhleth yn ymestyn drosti. Edrychodd Elwyn ar yr un enw pentref a oedd wedi ymddangos yng nghornel dde isaf y map. Crychodd ei dalcen wrth iddo deimlo cymysgwch o gyffro a dryswch.

29

Roedd Llinos wedi llwyddo i ailglymu ei dwylo y tu ôl i'w chefn a gobeithiodd na fyddai'r ddau a oedd ym mlaen y fan yn sylwi ar unrhyw wahaniaeth. Doedd hi ddim yn disgwyl gormod gan Siôn. Er ei fod wedi llwyddo i gadw gafael ar y ddisg, rhyw linyn trôns o foi oedd e i bob golwg. Wedi dweud hynny, roedd e'n fachgen digon hoffus. Go brin y gallai ei hachub hi, fodd bynnag. Sut yn y byd y bydde modd iddo fe wybod ble roedd hi? A phwy a ŵyr i ble roedd hi'n mynd?

30

'Wyt ti'n gwybod be ma hi eisiau cyn rhoi'r cynlluniau'n ôl i mi?' gofynnodd Elwyn i Siôn.

'Na. 'Nath hi erioed ddweud wrtha i. Wir i chi,' ychwanegodd, wrth i Elwyn edrych yn ddrwgdybus arno.

'Ma hi eisiau i mi ei helpu hi i gael mynediad at rwydwaith mewnol yr Adran Ffiseg. Duw a ŵyr pam. Sut ma hi'n meddwl y galla i wneud hynny? Gallwn i golli'n swydd pe bawn i'n dechre ymhél â phethe fel'na.'

'Ma hi'n ferch sy'n licio gwybod pethe,' atebodd Siôn yn syml. 'Does neb tebyg iddi. O ran gallu technolegol, ma hi flynyddoedd o flaen unrhyw un yn yr ysgol, hyd yn oed y coleg dwi ddim yn amau. Dwi ddim yn siŵr sut ma hi wedi gallu dysgu'r holl bethe. Rhywbeth i neud â'i rhieni, dwi'n meddwl.'

'Ie wel, lle ma'r rheiny?' gofynnodd Elwyn yn chwerw.

'Dwi ddim yn siŵr. Dwi erioed wedi'u cyfarfod nhw.'

'Sut wyt ti'n ei nabod hi 'te?'

'Dydw i ddim rili. R'yn ni yn yr un flwyddyn ysgol. Y ddau ohonon ni'n *losers*. Dim llawer o ffrindiau.'

'Hmmm.'

'Cynlluniau o be ydyn nhw?' gofynnodd Siôn, heb ddisgwyl ateb mewn gwirionedd.

Ochneidiodd Elwyn. 'Dwi wedi ffeindio ffordd o losgi olew sy'n rhyddhau ynni yn araf iawn iawn, heb ryddhau carbon. Dwi wedi cynllunio *prototype* o'r peiriant ac wedi arbrofi ers dros flwyddyn, gan redeg arbrofion dro ar ôl tro mewn gwahanol amgylcheddau, gyda gwahanol beiriannau. Byddai'r ddyfais yn chwyldroi sefyllfa ynni'r byd. Byddai un galwyn o olew neu betrol yn para oes. Fyddai dim carbon, felly byddai'r newid yn yr hinsawdd yn arafu, efallai. Ro'n i ar fin anfon y cynllun at y llywodraeth a'i gyflwyno mewn cynhadledd ryngwladol. Mi fuaswn i'n dod yn enwog, ac roedd 'na botensial anferth iddo arbed ynni ac arian a datrys problem ynni'r byd. Roedd hyn i gyd cyn y tân, wrth gwrs. Roedd y *prototypes* yn y swyddfa, a data'r arbrofion yn y swyddfa. Maen nhw i gyd wedi mynd. Dim ond copi Llinos sydd ar ôl.'

'Felly pwy sydd wedi mynd â Llinos a dwyn y cynlluniau?'

'Pwy a ŵyr? Un o ddegau o gwmnïoedd ynni traddodiadol sy'n gwneud biliynau o elw drwy werthu olew. Mae pobol wedi bod yn rhybuddio am y math yma o beth ers blynyddoedd. D'yn nhw ddim eisiau i ynni adnewyddol gael ei ddatblygu oherwydd byddai hynny'n golygu diwedd ar eu helw nhw.'

'Ydy hi'n anobeithiol felly?' gofynnodd Siôn yn dawel.

'Nac ydi,' atebodd Elwyn yn benderfynol. 'Dyw hi ddim yn anobeithiol. Dwi'n meddwl 'mod i'n gwybod lle maen nhw.'

31

Cerddodd Elwyn allan drwy'r drws gan wthio Siôn o'i flaen. Caeodd y drws yn glep ar ei ôl. Rhedodd at y car, neidio i sedd y gyrrwr a thanio'r injan. Cyn iddo symud, fodd bynnag, agorwyd drws y teithiwr a neidiodd Siôn i'r sedd.

'Be ti'n feddwl ti'n neud?' gofynnodd Elwyn.

'Dod gyda chi,' atebodd Siôn, a golwg benderfynol ar ei wyneb.

'Nag wyt,' dywedodd Elwyn, yr un mor benderfynol. 'Dwi ddim eisiau peryglu dy fywyd di hefyd.'

'Dwi eisiau helpu Llinos.'

Gwelodd Elwyn nad oedd pwynt dadlau. Tarodd y gêr i'w le yn ddiamynedd a sgrechiodd yr olwynion wrth iddo lywio'r car tuag at gyrion dwyreiniol y dre a thir uchel, tywyll Elenydd.

'Sut ydych chi'n gwbod lle ma Llinos?' gofynnodd Siôn mewn llais nerfus. Roedd troed Elwyn yn gwasgu'r sbardun i lawr y car.

'Daeth y tecst o ardal Ponterwyd ym mynyddoedd Elenydd. Ddim yn bell o argae Nant y Moch.'

'Reit...' Gafaelodd Siôn yn dynn wrth i'r car hedfan o gwmpas cylchfan fach, lawer yn rhy agos at lori fawr wen oedd wedi dechrau troi'r gornel.

'Ma labordy gan yr Adran Ffiseg yno. Labordy sy'n astudio prosesau'r haul a'r sêr a'r atmosffer. Mae angen iddo fod yn uchel yn y mynyddoedd i osgoi llygredd golau ac ati.'

'Ond pam fydden nhw'n mynd â hi fan'na? Fydde rhywun sydd wedi llosgi'r Adran Ffiseg i'r llawr ddim eisiau mynd i adeilad arall sy'n eiddo i'r Adran. Heblaw....'

'Heblaw eu bod nhw eisiau llosgi hwnnw i'r llawr hefyd. Yn union.'

32

Roedd y coed bythwyrdd yn sefyll fel milwyr llonydd bob ochr i'r ffordd. Doedd dim gwynt o fath yn y byd. Nadreddai'r ffordd trwy'r tir, gan groesi ffosydd bychain, tywyll, lle'r oedd y dŵr tywyll-fel-te yn aros yn byllau llonydd. Yn sydyn, diflannodd y llen o goed ac agorodd y gorwelion eang o'u blaenau. Gorwelion gwyrddion, gwastad. Ond, ychydig droedfeddi o flaen trwyn y car roedd wal gerrig newydd yn rhedeg wrth ymyl y lôn. Yr ochr draw iddi gwelodd Elwyn lyn tywyll ac argae mawr llwyd yn sefyll yn annaturiol o syth yng nghanol y tirlun. Tynnodd ei lygaid yn ôl at y lôn o'i flaen a gweld bod trwyn y car yn pwyntio i gyfeiriad y ffos. Trodd y llyw yn sydyn a chael trafferth i gadw'r olwynion cul ar y tarmac llychlyd. Arafodd Elwyn y car ac anadlu. Gallai weld cilfan o'i flaen. Roedd ôl dwy set o olwynion yn arwain i mewn ac allan ohoni. Olion ffres. Llywiodd yntau'r car i'r bwlch gan ofalu troi'r olwynion ar hyd llwybrau'r car a fu yno o'i flaen.

33

Llywiodd Phil y fan i gysgod adeilad concrid isel ar ochr ddwyreiniol argae Nant y Moch. Roedd yr adeilad wedi ei amgylchynu ar dair ochr gan goed bythwyrdd uchel. Diffoddodd yr injan. Edrychodd ar Kev, ei bartner.

'Dyw'r bòs ddim 'ma nawr, ydy e?' gofynnodd iddo.

'Na'di, bydd e lan nes 'mlaen, medde fe. Diolch byth. Yr hen snichyn.'

'Watsia be ti'n weud nawr, Phil. Ti byth yn gwbod, falle bod *bugs* yn y fan 'ma!'

'*Bugs*, myn uffarn i! Sdim radio ynddi, heb sôn am *bugs*! Fi'n gweud 'thot ti – hen snichyn yw e. Be ma hon wedi neud, beth bynnag?' Amneidiodd tua chefn y fan. 'Edrych yn ddigon diniwed i fi.'

'Ti'n cofio be wedodd y bòs, yn dwyt? Dyw e'n poeni dim amdani hi, mond y ddisg ma fe isie.'

'Well i ti fynd â'r ddisg i'r *safe* 'de, cyn neud dim byd arall.'

'Iawn. Gore po gynta ewn ni o 'ma a mynd am beint.'

'Ti wedodd hi. Dere.'

'Dal sownd, gofynnodd y bòs inni ei e-bostio ar ôl gollwng y ddisg a'r ferch.'

'Ocê, beth oedd y cyfeiriad?'

'stw.'

'Ocê.' Tapiodd Phil yn araf ar ei ffôn ac anfon y neges. 'Dere 'te.'

Neidiodd y ddau allan o'r car. Aeth Kev at ddrws yr adeilad a'i agor. Diflannodd y tu fewn am rai munudau. Roedd y ddau wedi cael gorchymyn clir gan y bòs fod yn rhaid iddyn nhw gael y ddisg oddi wrthi'n syth, cyn gwneud dim byd arall. Unwaith iddyn nhw gyrraedd, dylen nhw gloi'r ddisg yn y *safe* fel ei bod hi'n gwbwl ddiogel. Ar ôl i Kev ddod i'r golwg eto diffoddodd Phil ei sigarét a cherddodd y ddau gyda'i gilydd tua chefn y fan. Tynnodd Phil yr allwedd o'i boced a'i gwthio i'r twll a throi. Daeth yr ergyd i'w wyneb cyn iddo allu ymateb. Roedd Llinos wedi hongian wrth do'r fan ac wedi siglo'n ôl ac ymlaen i gael momentwm cyn taflu ei hunan drwy'r drws agored. Cwympodd Phil am yn ôl ar ôl derbyn ergyd gan draed Llinos, a'r gwaed yn llifo o'i drwyn. Ceisiodd Kev afael ynddi ond, yn y tywyllwch, methodd a rhoddodd Llinos ergyd iddo rhwng ei goesau. Disgynnodd Kev i'r llawr gan riddfan.

Rhedodd Llinos yn ôl am yr argae, heb syniad yn y byd ble'r oedd hi am fynd.

34

Agorodd Elwyn ffenest y car a dal ei wynt wrth i aer y tir uchel frathu. Tynnodd bâr o finociwlars o sedd y teithiwr a'u gosod o flaen ei lygaid. Cymerodd eiliad neu ddwy i gyfarwyddo â'r cynfas o wyrdd tywyll yng nghysgodion y gwyll o'i flaen a throdd y deial bychan hyd nes ei fod yn medru gweld pen yr argae yn glir. Roedd y labordy wrth ochr bella'r argae, wedi ei gysgodi gan y coed. Dechreuodd wrth un pen i'r argae a symud yn araf bach ar ei hyd. Dilynodd amlinelliad syth a chywir y creigiau mawr yn awchus, ond ni welodd unrhyw beth. Roedd bron â chyrraedd yr ochr draw pan welodd fflach o ddillad melyn a gwyrdd yn gwibio ar hyd y lôn oedd yn dilyn pen yr argae. Roedd dau ddyn eithriadol o fawr yn dilyn. Roedd y ddau'n rhedeg tipyn arafach na'r person cyntaf a gallai Elwyn weld, hyd yn oed o bellter, eu bod nhw'n stryffaglu.

'Dyna hi!' gwaeddodd Elwyn.

'Dewch!' gwaeddodd Siôn.

Gyda sŵn olwynion yn troelli'n wyllt a mwd yn hedfan, gyrrodd Elwyn y car yn ei flaen tuag ochr yr argae. Doedd e ddim yn siŵr beth yn union roedd e'n mynd i'w wneud. Doedd e ddim yn ffansïo ymladd dau ddyn dwywaith ei faint a dim ond bachgen a merch yn eu harddegau wrth ei ochr.

Roedd un o'r dynion wedi sylwi ar y car a dechreuodd wibio yn ôl tua'r adeilad lle'r oedd y fan. Erbyn i Elwyn gyrraedd yr argae roedd y dyn wedi cyrraedd y fan ac wedi ei thanio. Sgrialodd Elwyn i stop ychydig lathenni o'r llyn. Stryffaglodd Siôn wrth droi yn ei sedd a thaflodd ddrws cefn y car ar agor a gweiddi, 'Llinos! Neidia i mewn! Glou!'

Synnodd Siôn wrth weld gwên ar ei hwyneb. Neidiodd Llinos i mewn i'r car ond chafodd hi ddim cyfle i gau'r drws cyn i Elwyn wthio'r gêr i'r gêr ôl a throi trwyn y car yn ôl i gyfeiriad Aberystwyth. Clywodd y tri ergyd wrth i Phil daro i mewn i ochr y car. Wrth lwc, roedd y ddau ddrws ffrynt ar glo a methodd â chael gafael yn nrws y car wrth i Elwyn roi ei droed ar y sbardun.

'Llinos! Ti'n iawn?!' gwaeddodd Siôn arni.

'Ydw!'

'Gwisgwch eich gwregys diogelwch a daliwch yn sownd!' Daeth llais Elwyn o'r sedd flaen ac edrychodd Llinos yn syn wrth iddi adnabod y llais.

'Paid â phoeni,' sibrydodd Siôn. 'Ma fe 'ma i helpu...'

Edrychodd y ddau yn ôl drwy'r ffenest gefn.

'Ma nhw'n ein dilyn ni!'

35

Sgrialodd y car rownd y gornel. Roedd y fan wedi
eu dal a bellach yn gyrru'n agos at gefn y car. Roedd
y ddau'n teithio ar gyflymder dychrynllyd. Pe bai car
arall neu un o'r lorïau mawr oedd yn cario coed ar
hyd a lled y bryniau yn dod o'r cyfeiriad arall byddai'n
llanast. Gwthiodd y fan yn erbyn car Elwyn a bu'n
rhaid iddo droi'r llyw'n galed er mwyn osgoi'r ffos
ddofn wrth ymyl y ffordd. Yn sydyn, gwelodd Elwyn
arwydd i gyfeiriad pentref Abernant ar y chwith a
chafodd syniad.

'Daliwch yn sownd,' dywedodd yn benderfynol.
Gwelodd yr ofn ar wyneb Llinos. Tsieciodd Elwyn fod
y ddau'n gwisgo'u gwregysau. Doedd dim golwg arafu
ar y fan. Mesurodd y pellter rhyngddyn nhw a'r troad.
Breciodd yn sydyn ac yn galed. Sgrechiodd y teiars
a dechreuodd sgrialu ond llwyddodd Elwyn i reoli'r
car. Hedfanodd y fan yn ei blaen fodd bynnag. Roedd
ei phwysau trwm yn golygu nad oedd yn gallu arafu
mor sydyn. Cyn iddo allu gweld beth ddigwyddodd
iddi, llywiodd Elwyn y car i'r chwith ar hyd y ffordd
gul a oedd yn arwain tuag at bentref bach Abernant.
Daliodd i gyflymu.

'Pawb yn iawn?' gofynnodd.

'Ydyn,' atebodd y ddau gyda'i gilydd.

Ochneidiodd Elwyn mewn rhyddhad. Roedd y ffordd yn dal i ddisgyn i lawr i waelod y dyffryn trwy goedwig binwydd. Roedd tro arall o'u blaenau ond arafodd Elwyn i'w ddilyn yn hamddenol.

'Ydyn ni wedi cael gwared arnyn nhw?' gofynnodd Llinos.

'Gobeithio,' atebodd Elwyn.

'Na, dwi ddim yn meddwl.' Daeth llais crynedig Siôn o sedd y teithiwr.

'Be?' Roedd llygaid Elwyn yn dal ar y ffordd.

'Mae'r fan y tu ôl inni!'

Rhegodd Elwyn. Rhoddodd ei droed ar y sbardun unwaith eto. Roedden nhw wedi cyrraedd tir gwastad y dyffryn erbyn hyn. Doedd dim modd i'r fan ddod ochr yn ochr â nhw ond roedd hi'n dynn y tu ôl iddyn nhw unwaith eto.

Teimlodd y tri hergwd wrth i fympar y fan wthio'n erbyn cefn y car.

Rhythodd Elwyn ar y fan yn nrych y car a gweld y ddau ddyn yn iawn am y tro cyntaf. Doedd e ddim yn eu hadnabod. Ar ôl cip cyflym ar y ffordd o'i flaen edrychodd yn y drych eto a gweld y fan yn cyflymu tuag atynt. Teimlodd hergwd arall. Roedd y ffordd yn troi a throelli ar hyd y dyffryn gwastad. Roedd

Elwyn yn gyfarwydd iawn â'r ffordd. Roedd wedi teithio ar ei hyd droeon yn yr haf i fynd lan at argae Cwm Rheidol. Rywle rhwng cadw'r car ar y ffordd a gwylio'r fan yn y drych dechreuodd ail-fyw'r ffordd yn ei feddwl ac yn sydyn, roedd ganddo gynllun.

Roedd y ddau'n prysuro tuag at argae Cwm Rheidol, fel at ryw ddibyn terfynol ar ddiwedd y byd. Rowndiodd y car y gornel ac yn sydyn roedd y llyn eang o'u blaenau a'r ffordd yn dilyn y lan. O fewn ychydig eiliadau roedd wal yr argae yn agosáu. Sbardunodd Elwyn y car yn ei flaen eto.

'Elwyn, be ti'n neud?' gwaeddodd Siôn.

'Daliwch yn sownd!' oedd ei unig ateb.

Ymddangosodd rhyw olwg o ganolbwyntio dwys ar wyneb Elwyn wrth iddo gydio yn llyw'r car a'i dynnu'n ffyrnig i lawr i'r dde. Taflwyd Siôn a Llinos i'r chwith a sgrechiodd y ddau wrth i'r car lithro'n boenus. Roedd pont o'u blaenau, a rheiliau metel a phalmant bob ochr i'r ffordd. Islaw, roedd ceunant dwfn, creigiog. Roedd y car bellach yn symud wysg ei ochr tuag at y rheiliau ac ymladdodd Elwyn yn erbyn y momentwm a thynnu'r llyw i lawr tua'r chwith. Tarodd un o'r olwynion yn erbyn y palmant a rywfodd, sythodd hynny'r car ryw ychydig a llwyddodd Elwyn i'w lywio i ochr arall y bont. Ond roedd y fan dipyn trymach, dipyn anos i'w llywio ac yn arafach wrth newid cyfeiriad. Wrth i Elwyn ddod â'r car i stop edrychodd y tri yn ôl a gweld y fan yn codi i ben y palmant. Doedd hi ddim hyd yn oed wedi dechrau troi. Tarodd ochr y fan yn erbyn y rheiliau a throdd wyneb i waered yn yr awyr wrth iddi gael ei thaflu dros ochr y bont. Llywiodd Elwyn y car am yn ôl a gweld y fan yn y dŵr. Roedd y ddau ddyn wedi llwyddo i neidio allan o'r fan a bellach yn nofio tuag at y lan. Trodd Elwyn yn ôl at y ffordd o'i flaen a gyrru.

36

Gyrrodd Elwyn y car yn ei flaen am dipyn eto cyn troi trwyn y car i gyfeiriad y gogledd ar hyd ffordd fechan. Roedd hen ffarm ar ochr chwith y lôn, y buarth yn wag a thoeau'r siediau yn dechrau mynd â'u pennau iddynt. Roedd y giât ar agor. Llywiodd Elwyn y car i mewn i un o'r siediau, gan deimlo diogelwch tywyllwch y cysgodion amdano. Diffoddodd yr injan ac ochneidio, gan roi ei ben ar y llyw.

Atseiniodd dau glic drwy'r car wrth i Siôn a Llinos ryddhau eu gwregysau diogelwch. Gwnaeth Elwyn yr un peth, agor y drws a chamu allan o'r car. Roedd ei goesau'n teimlo fel jeli.

Roedd yn amlwg nad oedd y sied wedi cael ei defnyddio ers blynyddoedd. Roedd gwe pry cop yn hongian o'r trawstiau ac yn gorchuddio'r hen offer a orweddai yn y corneli. Edrychodd ar gefn y car. Roedd sawl tolc a chrafiadau blith draphlith lle tarodd y fan yn ei erbyn. Roedd oglau llosgi rwber yn drwm yn yr awyr hefyd. Daeth Llinos a Siôn allan o'r car.

'Diolch, Dr Llywelyn. Mae'n flin 'da fi am y car. Diolch, Siôn.'

Nodiodd hwnnw arni.

Edrychodd Elwyn yn hir ac yn angharedig ar Llinos, fel pe bai ar fin ffrwydro gan ddicter. Paratôdd Llinos am ddadl. Ond meddalodd wyneb blinedig Elwyn.

'Mae'n iawn. Ti'n saff, a sneb wedi brifo, dyna sy'n bwysig.'

Mewn llais bach gofynnodd Llinos, 'Be sy'n mynd i ddigwydd nawr?'

Yng nghhornel ei lygad gwelodd Elwyn Siôn yn gwingo'n anesmwyth. Doedd e ddim yn gwybod beth i'w ddweud. Roedd e'n dal yn flin iawn gyda Llinos, ond roedd y ffrynt allanol, gorhyderus bellach wedi diflannu, a gwelodd Elwyn hi fel merch ifanc, ychydig yn ofnus.

'Y peth cynta i'w wneud yw mynd â'r ddau ohonoch chi adre. Mi fydd eich rhieni'n poeni amdanoch chi. Byddwn ni'n lwcus os nad ydi'r heddlu'n chwilio amdanon ni. Wedyn...'

Gwelodd Llinos yn edrych arno.

'Wedyn, mi fydda i eisiau fy ngwaith yn ôl. Ma pethe wedi mynd yn rhy bell nawr. Gallai rhywun fod wedi marw heddi. Neu yn y tân yn yr Adran. Dwi ddim yn mynd i roi beth 'nest ti ofyn amdano.'

'Ocê.'

'Dwi'n cymryd bod pwy bynnag 'nath dy herwgipio di wedi cymryd y ddisg o 'ngwaith i?'

'Do. Dyna i gyd ro'n nhw ei eisiau.'

'Pwy wnaeth dy herwgipio di?'

'Dwi ddim yn gwbod pwy o'n nhw. Phil a Kev, yn ôl be glywes i o gefn y fan. Ro'n nhw'n cadw cyfeirio at y "bòs" – pwy bynnag yw hwnnw.'

'Sgen ti syniad pwy oedd y bòs?'

'Glywes i Kev yn rhoi ei gyfeiriad e-bost i Phil.' Cyffrôdd Llinos yn sydyn. 'Allwn ni ei ffeindio fe felly!?'

'Falle. Be oedd y cyfeiriad?'

'stw.'

'Na, mae'n rhaid bod ti wedi camgymryd!' Roedd ceg Elwyn yn sych, ei lais yn dawel.

'Naddo!' Cododd llais Llinos. 'Dwi'n gwbod be glywes i. Pam? Cyfeiriad e-bost pwy yw hwnna?'

'Steff.'

37

Pwysodd Elwyn yn ôl yn erbyn y car wrth iddo sylweddoli bod Steff wedi ei fradychu. Steff oedd wedi llosgi'r Adran i'r llawr, a dechrau'r tân yn y swyddfa. Steff oedd bellach yn meddu ar yr unig gopi o'i waith ymchwil. Steff oedd wedi herwgipio merch ysgol er mwyn cael gafael ar yr unig gopi hwnnw. Doedd Elwyn ddim yn credu'r peth. Doedd e ddim yn nabod ei ffrind gorau.

'Dr Llywelyn!' Daeth Elwyn ato'i hun wrth sylweddoli bod Llinos yn gweiddi arno.

'Beth, Llinos?' gofynnodd yn flinedig.

'Be ni'n mynd i neud? Ti'n mynd i adael i Steff ennill? 'Nes i ddim yr holl waith hacio yna er mwyn i ryw ddiawl fel'na gael ei ddwylo budr ar y data!'

'Mae'n rhaid inni wybod beth mae e'n bwriadu neud. Ond sut?'

'Sdim swyddfa ar ôl i'w harchwilio. Be am edrych yn ei dŷ?' gofynnodd Siôn mewn llais bach.

'Dwi ddim yn ffansïo torri mwy o'r gyfraith nag sydd angen.'

'Beth am ei e-bost?' holodd Llinos.

'Pam lai? Ma *netbook* 'da fi ym mŵt y car. Galli di

ddefnyddio hwnnw. Dwi'n cymryd dy fod ti'n gallu hacio i'w gyfrif e-bost?'

'Be *ti'n* feddwl?'

Agorodd Llinos y *netbook* ac aros iddo lwytho. Roedd yn gyfrifiadur araf, a dechreuodd dap-tapio ei bys ar ei ymyl. Roedd Siôn ac Elwyn wedi bod yn siarad am yr helfa roedden nhw newydd ddianc ohoni ond peidiodd y siarad ac edrychodd y ddau ar Llinos. Sylwodd hithau a stopio tapio.

'Sori,' ymddiheurodd, â gwên fach.

O'r diwedd, roedd y cyfrifiadur yn barod a chliciodd Llinos ar eicon rhaglen pori'r we. Teipiodd gyfeiriad gwefan e-bost allanol y brifysgol. Wrth i hwnnw ymddangos, agorodd ffenest newydd a theipio cyfeiriad arall. Roedd Elwyn bellach yn edrych dros ei hysgwydd.

'Be ti'n neud?'

'Mewngofnodi i *remote desktop* adre. Fe alla i weithio ar fy nghyfrifiadur i, edrych ar ffeiliau a defnyddio rhaglenni ar y cyfrifiadur 'ny, er 'mod i ddim o'i flaen e.'

'Dwi'n gwybod beth yw *remote desktop*, diolch iti,' atebodd Elwyn braidd yn sarcastig, ond methodd gadw tinc o edmygedd o'i lais.

'Sut wyt ti'n gwybod sut mae neud pethe fel hyn?' gofynnodd Elwyn.

'Gallwch chi ddysgu sut mae gwneud unrhyw beth ar y we. Unrhyw beth. Dyna sy mor wych amdano, yndê? Gallwch chi gyrraedd bob man.'

Nodiodd Elwyn.

'Pam wyt ti eisiau defnyddio dy gyfrifiadur adre?'

'Dwi wedi sgwennu rhaglen i ddarganfod cyfrineiriau cyfrifon e-bost y brifysgol.'

Pesychodd Elwyn. 'Ti wedi neud beth?!'

'Sut wyt ti'n meddwl llwyddes i i anfon e-bost atat ti o gyfri Lydia?'

Siglodd Elwyn ei ben.

Yn y ffenest fach, ymddangosodd blwch lle teipiodd Llinos enw defnyddiwr a chyfrinair ac ymddangosodd *desktop* ei chyfrifiadur personol.

'Dwi'n gobeithio y gwneith hyn weithio. Sdim llawer o bŵer gyda'r cyfrifiadur 'ma.'

Gwelodd Elwyn flwch yn gofyn am y cyfeiriad e-bost.

Teipiodd hi'r cyfeiriad 'stw' mewn fflach. Ymddangosodd bar glas yn dangos faint oedd ar ôl. Mi gymerai'r broses rhyw funud.

'Sut ma hyn yn gweithio?'

Edrychodd Llinos arno, gan godi'i haeliau.

'Dwi ddim yn mynd i ddweud wrth neb, Llinos. Er, mae'n debyg y dylwn i.' Allai Elwyn ddim esbonio'r peth ond doedd e ddim yn teimlo'n ddig wrthi rhagor.

Mewn gwirionedd, roedd wedi dechrau teimlo'n reit warchodol ohoni. Doedd e ddim yn siŵr a oedd yn ei hoffi hi rhyw lawer chwaith. Roedd hi'n celu sawl cyfrinach, roedd hynny'n amlwg. Roedd Siôn, ar y llaw arall, yn ddigon agored...

'Ie, Llinos, licen i wybod sut mae hyn yn gweithio.'

Gwelodd Elwyn fod cael cynulleidfa yn ymddiddori yn ei gwaith yn plesio Llinos, a dechreuodd hi siarad.

'Mae'n syml. Y cam cyntaf yw mewngofnodi i gronfa ddata craidd y brifysgol. Yr ail gam yw chwilio drwy'r rhestr o gyfeiriadau e-bost a chanfod y cyfrinair. Y cam cyntaf oedd y darn anodd, wrth reswm.'

'Sut 'nest ti hynna?'

'Lot o ymchwil. *Trial and error.* Ond ma'n rhaid iti neud yn siŵr nad wyt ti'n gadael unrhyw olion dy fod wedi bod yn y gronfa ddata. Mae hynna'n dipyn o waith hefyd.'

'Ond mae'n amlwg bod Steff wedi sylwi? Felly, mae'n bosib bod rhywun arall wedi sylwi hefyd.'

'Falle,' atebodd Llinos, mewn llais a oedd yn awgrymu nad oedd yn credu bod hynny'n bosib.

'Pump, pedwar, tri, dau, un. Bingo,' dywedodd Llinos.

'Y cyfrinair yw p3ithn@nt.'

'Ocê, mewngofnoda i'w e-bost e.'

'Oooo-ceee.'

'Fydd e'n gallu gweld hyn?'

'Na. Heblaw'n bod ni'n neud rhywbeth gwirion. 'Nest *ti* ddim sylwi, naddo?'

Edrychodd Elwyn arni, a'i wyneb fel pysgodyn aur.

'Reit, am beth r'yn ni'n edrych?'

'Am unrhyw beth sy'n ymwneud â llosgi ynni digarbon.'

Teipiodd Llinos yn ffyrnig a gwasgu 'Enter'. Chwiliodd i lawr drwy'r rhestrau e-bost. Dim byd. Teipiodd eto, a darllen eto. Ailadroddodd y broses ddwy neu dair gwaith, a Siôn ac Elwyn yn edrych yn eiddgar dros ei hysgwydd.

'Unrhyw beth?'

'Mmm. Cadwyn o e-byst gan Steff at rywun mewn cwmni o'r enw EnTech International.'

'Cwmni ynni o America! Be ma nhw'n ddweud?'

'*Dear Dr Williams, Thank you for your email. I can authorise the payment for all rights and patents for your invention...*' Tagodd Elwyn pan glywodd y geiriau olaf hynny. '*... As requested, payment will be transferred to the bank account in the Cayman Islands. Our representative will travel to your research station at Nant y Moch, Aberystwyth next Wednesday to finalise arrangements and collect the plans and data. Please confirm* *whether this is convenient. Yours sincerely* bla bla bla...' gorffennodd Llinos.

'Mae'r diawl yn mynd i werthu patent y cynllun. Ydi e'n dweud am faint?!'

Sgroliodd Llinos i lawr drwy'r negeseuon. 'Dyma ni. Miliwn o bunnoedd.'

'FAINT?!'

Rhythodd Elwyn ar yr e-bost a'i ddarllen o dan ei wynt.

'*Dear Sir... I offer you the patent of the most significant development in energy generation in the twenty first century. I attach a preliminary dataset... I assure you that this is a genuine offer... I offer the patent for sale at a price which reflects its importance. Rest assured you will recoup the cost in less than a year... £100,000,000!* Alla i ddim credu hyn. Dyw e ddim hyd yn oed yn mynd i gyhoeddi'r gwaith, jyst ei werthu am grocbris!'

'Os 'nawn ni adael iddo fe!' ebychodd Llinos.

'Be ti'n feddwl?'

'Does dim rhaid inni roi'r gorau iddi nawr, nag oes?'

'R'yn ni'n gwybod ble ma Steff, neu ble fydd e fory yn bendant. Falle bydd e 'na nawr! Lan yn Nant y Moch yn dangos ei ddyfais – dy ddyfais di, sori,' ychwanegodd Llinos wrth i Elwyn wgu arni. 'Ewn ni lan 'na nawr i gael y ddisg yn ôl!'

38

Teimlodd Elwyn *déjà vu* rhyfeddol wrth lywio'r car ar hyd y ffordd serth o gyffiniau Aberystwyth tuag at argae Nant y Moch. Roedd hi wedi hen dywyllu erbyn hyn ac ychydig oleuni yn unig tua'r gorllewin. Roedd rhyw wynt wedi codi ac roedd cymylau ar y gorwel yn gorchuddio'r sêr. Roedd y car tolciog yn dal i fynd, er gwaetha pob dim. Roedd Llinos yn sêt y teithiwr wrth ymyl Elwyn, a Siôn yn y cefn. Doedd dim golwg o gar arall ar y ffordd ond gallai Elwyn dyngu ei fod yn gweld llafn o olau yn disgleirio fan hyn a fan draw ar y bryniau o'u blaenau. Efallai ei fod yn dychmygu, meddyliodd. Blinder.

'Pan gyrhaeddwn ni Nant y Moch, dwi ddim eisiau ichi ddod yn agos i'r labordy. R'ych chi wedi mentro digon. Rhaid ichi aros yn y car. Deall?'

'Ond...' dechreuodd Llinos ddadlau.

'Na.'

'Beth os...?' dechreuodd Siôn.

'Na.'

Disgynnodd rhyw dawelwch blin dros gefn y car.

39

Cyrhaeddodd y tri gyffiniau Nant y Moch, a'r labordy gwyddonol. Taflwyd cysgodion sinistr gan y coed ar bob ochr wrth i lampau'r car oleuo'r ffordd. Adlewyrchodd y golau oddi ar lampau car arall. Car Steff. Roedd e yma eisoes, yn paratoi.

'Os ydw i'n cofio'n iawn, mae'n rhaid gwybod y cod cywir ar gyfer y drws. Dwi'n meddwl 'mod i'n cofio, ond allai Steff fod wedi ei newid. Arhoswch fan hyn.'

Diffoddodd Elwyn y car, agor y drws a cherdded tuag at ddrws clo'r adeilad. Gwyliodd Siôn a Llinos e'n pwyso botymau ar flwch bach. Fflachiodd golau coch. Trïodd eto. Golau coch arall.

'Tri chynnig i Gymro,' dywedodd Siôn, gyda gwên fach obeithiol. Ond na, golau coch arall.

Daeth Elwyn yn ôl at y car. 'Dim lwc,' ochneidiodd, wrth setlo'n ôl i'w sedd.

'Lle mae'r *netbook* yna,' gofynnodd Llinos mewn llais caled.

'Fan hyn.' Estynnodd Siôn y gliniadur bach iddi.

'Be ti'n neud nawr?' gofynnodd Elwyn.

'Dwi'n meddwl y galla i agor y drws.'

'Sut?'

'Dwi wedi sgwennu firws sydd yn gallu diffodd systemau cyfrifiadurol fel hyn.'

'Rwyt *ti* wedi *sgwennu* firws?'

'Do. Wel, wedi newid chydig bach ar un oedd ar gael trwy ffrind ar y we.'

Siglodd Elwyn ei ben. 'A sut mae hynny am ein helpu ni?'

'Am wyddonydd sy'n mynd i fod yn fyd-enwog, ti'n dwp iawn weithiau. Dwi'n cymryd mai system gyfrifiadurol sy'n rheoli'r drws. Felly os alla i ddymchwel y system gyda'r firws, alla i agor y drws.'

'Ocê...'

'Mae'n ymddangos fod Steff braidd yn dwp hefyd – does dim angen cyfrinair i ymuno â'r rhwydwaith fan hyn.' Siglodd Llinos ei phen. 'Amaturiaid.'

Teipiodd yn wyllt wrth iddi fewngofnodi i'w *remote desktop* eto. Lawrlwythodd ffeil y firws a chychwyn y broses o'i anfon dros y cyswllt gwe i mewn i system y labordy.

'Mi gymrith hyn ychydig o funudau. Be wnei di os allwn ni agor y drws? Dyw Steff ddim yn mynd i roi'r ddisg iti ar chwarae bach.'

'Nac ydi, mae'n debyg. Dwi ddim yn siŵr be wna i. Jyst siarad ag e yn gynta i ofyn pam mae e wedi 'mradychu i. Falle alla i gnocio ychydig o sens mewn i'w ben e.'

Edrychodd Llinos arno yn amheus a sylwodd Elwyn arni.

'Falle, wedes i.'

'Chi'n meddwl dylen ni alw'r heddlu?' gofynnodd Siôn.

'Hwyrach y dylen ni fod wedi gwneud hynny oriau'n ôl, Siôn,' atebodd Elwyn. 'Mae'n rhy hwyr nawr. Bydd hi'n job a hanner esbonio hyn i gyd.'

'Paid â phoeni, Elwyn,' dywedodd Llinos. 'Mi ddywedith Siôn a finne dy fod ti wedi'n hachub ni. Fyddi di ddim mewn trwbwl.'

Siglodd Elwyn ei ben, a gwenu. 'Gewn ni weld. Sut mae'r firws yn dod yn ei blaen?'

'Ugain eiliad. Ti'n barod?'

'Ydw.'

'Deg eiliad.'

Agorodd Elwyn ddrws y car yn barod wrth i'r tri edrych ar ddrws y gweithdy. 'Croeswch eich bysedd,' sibrydodd Llinos. 'Tri... dau... un.'

Fflachiodd golau gwyrdd ar glo'r drws. Neidiodd Elwyn allan o'r car a rhedeg ato. Cydiodd yn y drws a'i rwygo ar agor. Diflannodd i'r tywyllwch tu mewn.

40

Roedd y gweithdy yn dywyll ar wahân i un ddesg a oleuwyd gan lamp fach. Cymerodd Elwyn gam yn nes. Wrth y ddesg eisteddai Steff, ei gyd-weithiwr a'i ffrind gorau. Steff, y bradwr. Trodd hwnnw ei lygaid oddi wrth y cyfrifiadur a gwenu ar Elwyn.

'Dr Elwyn Llywelyn,' cyhoeddodd, gyda dirmyg yn amlwg yn ei lais. 'Croeso.'

'Lle mae'r ddisg, Steff?'

'Pa ddisg?'

'Y ddisg â 'ngwaith i arni. Y ddisg 'nest ti herwgipio merch ifanc er mwyn cael gafael arni. Y ddisg 'nest ti losgi Adeilad John Price i'r llawr er mwyn cael dy ddwylo arni. Y gwaith rwyt ti wedi dinistrio dy yrfa er ei fwyn!' Roedd llais Elwyn wedi codi'n uwch ac yn uwch.

'Dyna lle rwyt ti'n anghywir, Elwyn,' atebodd Steff, mewn llais tawel, gwastad.

'O?'

'Unwaith y bydda i wedi gwerthu'r data a'r cynlluniau, mi fydda i'n enwog. Mi gyhoedda i'r peth i'r byd a'r betws. Ac mi fydd gen i sawl miliwn yn y banc. Digon i ailgodi Adeilad John Price a'i ailenwi'n Adeilad Steffan Williams.'

'Ti 'di colli dy bwyll! Dyw hyn ddim yn deg, Steff. Fy ngwaith i yw hwn. Alli di ddim jyst ei ddwyn e a'i gyhoeddi fe o dan dy enw di.'

'O, gallaf, Elwyn. Dwi wedi cael digon o fod yn dy gysgod di. Yn dy wylio di'n cael dy ddyrchafu, yn ennill gwobrau, yn ei lordio hi o gwmpas y dre 'ma fel 'taet ti bia'r lle. Fy nhro i yw hi nawr.'

Cododd y ddisg o'r ddesg a'i chwifio o flaen Elwyn.

'Dwi wedi ffonio'r heddlu, Steff. Maen nhw ar eu ffordd. Maen nhw'n gwybod popeth.' Gobeithiodd Elwyn ei fod yn swnio'n hyderus.

'Ti'n dweud celwydd.' Roedd sŵn amheus wedi cripian i lais Steff.

'Nac ydw.'

'Rho'r ddisg i fi, Steff, ac mi wna i 'ngore i dy helpu di. Dwi'n addo. R'yn ni wedi bod yn ffrindiau ers deg mlynedd. Gad i fi dy helpu di.'

Wrth siarad, roedd Elwyn wedi cerdded ymlaen yn araf, araf hyd nes ei fod o fewn pellter cyffwrdd i Steff. Meddalodd wyneb Elwyn am eiliad ond, yna, ffyrnigodd Steff a chwifio dwrn at wyneb Elwyn. Tarodd ef yn ei drwyn a chwympodd Elwyn yn ôl mewn poen. Rhedodd Steff heibio iddo tuag at y drws ond roedd Elwyn ar ei draed yn syth a thaclodd Steff a'i daro'n erbyn silff o offer metel. Siglodd y rheiny a chwympo ar hyd y lle. Rhoddodd Steff hergwd i Elwyn yn ei stumog ac un arall yn ei wyneb wrth iddo blygu drosodd mewn poen. Cwympodd Elwyn i'r llawr. Wrth iddo godi ei ben, gwelodd Steff yn rhedeg allan drwy ddrws y gweithdy i'r nos. Meddyliodd am Siôn a Llinos a chododd ar ei draed, ei ben yn hollti. Rhedodd mor gyflym ag y gallai ar ôl Steff.

41

Chwyrlïai'r gwynt yn ffyrnig dros frwyn y mynydd. Roedd y tywydd hafaidd, clòs, wedi troi ac roedd y cymylau wedi crynhoi a'r glaw yn dechrau pigo dros y tir gwastad. Chwipiwyd y dŵr ar wyneb y llyn du yn donnau gwynion. Taflwyd ewyn gwyn dros wal uchel yr argae. Roedd Steff wedi cyrraedd ymyl yr argae a dechreuodd redeg nerth ei draed ar draws y wal. Rhedodd Elwyn ar ei ôl. Edrychodd i gyfeiriad y car a gweld Llinos a Siôn yn pwyso allan bob ochr iddo.

'Arhoswch fan'na!' gwaeddodd.

Rhedodd Elwyn yn ei flaen ar hyd yr argae. Wrth i'r ddau wyddonydd gyrraedd canol yr argae trodd Steff i'w wynebu, gan ddal y ddisg uwch ei ben. Stopiodd Elwyn hefyd gan lithro ar y cerrig slic. Safodd Elwyn yng nghanol y ffordd. Teimlodd y diferion glaw a'r dŵr o'r llyn yn taro'i wyneb. Roedd ei wallt yn socian o fewn eiliadau. Wynebodd y ddau ei gilydd – dau ffigwr llonydd yng nghanol y storm.

42

Wrth ymyl yr argae gafaelodd Llinos yn llaw Siôn a'i dynnu allan o'r car. Tarodd y gwynt hi yn ei hwyneb ond brwydrodd yn ei erbyn. Rhedodd ar draws y lôn a dringo dros y ffens, a Siôn yn dynn wrth ei sodlau. Llithrodd y ddau i lawr y llethr serth tuag at wal fawr yr argae. Dechreuodd Siôn weiddi wrth iddo golli rheolaeth ar ei gyflymder ond uwchben sŵn y gwynt, chlywodd neb mohono.

43

'Paid dod dim pellach, Elwyn!' gwaeddodd Steff. 'Neu fe dafla i hwn dros yr ochr.' Symudodd tuag at ochr yr argae.

Edrychodd Elwyn dros yr ochr. Ni allai weld gwaelod yr argae ond gallai glywed y dŵr yn taranu allan o'r bibell ar ei waelod. Roedd hi'n glawio'n drwm, y dafnau'n brifo bron wrth daro ei dalcen.

''Nei di ddim!'

'O gwnaf. Os na alla i gael y clod, chei di ddim chwaith!'

'Steff, beth yw'r pwynt?!' gwaeddodd Elwyn, yn dechrau colli ei limpin. 'Ydy dy yrfa di mor bwysig â hynny?!'

'Paid siarad am yrfa! Dwi 'di cael hen ddigon ar dy wylio di'n cymryd y clod am 'y ngwaith i. Yn ennill gwobrau, yn cael dy ddyrchafu – ond DIM RHAGOR!'

'Steff, ti off dy ben! Ti'n sylweddoli hynny, yn dwyt? Mae pethe pwysicach yn y byd. Alli di ddim gweld 'ny?!'

'Hawdd i ti ddweud! Dwed ta-ta wrth dy waith, Dr Elwyn Llywelyn!'

'Ti'n dweud wrtha i dy fod ti ddim wedi neud copi yn y gweithdy?! Dwi'n dy nabod di'n rhy dda.'

Gwenodd Steff ac estyn teclyn bach du o'i boced. 'Beth yw hwnna?' gofynnodd Elwyn yn betrus.

Yn hytrach nag ateb, gwasgodd Steff fotwm a byddarwyd Elwyn gan ffrwydrad anferth. Roedd y gweithdy wedi ei chwalu'n grybibion. Edrychodd Elwyn yn ôl. Methodd weld y car a doedd dim golwg o Llinos na Siôn drwy'r mwg. Daeth arno awydd chwydu. Edrychodd yn ôl at Steff. Roedd hwnnw'n dal i wenu.

'Be sy 'di digwydd iti?' gwaeddodd.

Cododd Steff ei fraich a pharatoi i daflu'r ddisg dros yr ochr. Rhuthrodd Elwyn ato gan weiddi, 'Naaa!'

Hedfanodd y ddisg i'r awyr wrth i Elwyn gofleidio Steff a'i fwrw i'r llawr. Tarodd Steff ei ben yn erbyn y tarmac caled a gorweddodd yn anymwybodol. Neidiodd Elwyn tuag at ochr yr argae a thaflu ei ddwylo'n ofer i'r tywyllwch. Stopiodd ei hun rhag disgyn dros yr ochr mewn pryd a gwelodd olau yn fflachio oddi ar y cas plastig wrth iddo hedfan dros yr ochr.

Roedd Steff yn dod ato'i hun yn araf bach, a gwelodd Elwyn e'n estyn am y teclyn bach roedd wedi ei adael i gwympo wrth ddisgyn.

'Steff, paid.'

Gwenodd Steff. 'Hwyl, Elwyn.'

Fel ffilm mewn *slow-motion* gwelodd fys Elwyn yn gwasgu'r botwm. Yn sydyn, ffrwydrodd bom ar ochr bella'r argae. Edrychodd ar Steff, a oedd erbyn hyn wedi codi ar ei draed. Trodd Elwyn ei gefn arno a dechrau gwibio yn ôl ar hyd yr argae. Siglwyd Elwyn wrth i fom arall ffrwydro, yn agosach y tro hwn. Yna, daeth ffrwydryn arall, ac un arall, a theimlodd Elwyn ergyd boeth ar ei war. Gwelodd Siôn a Llinos yn ymddangos o ochr yr argae ac yn rhedeg nerth eu traed yn ôl ar hyd y lôn. Rhedodd ar eu holau ac ar ôl iddo gyrraedd y tu ôl iddyn nhw cydiodd yn y ddau wrth eu gwarrau a'u gwthio i mewn i'r goedwig ac i'r llawr. Clywodd bedwar ffrwydrad arall a theimlodd wres yr un olaf yn pasio drostyn nhw fel rhyw bwysau mawr trwm, gormesol. Ar ôl i adleisiau'r ffrwydrad beidio, clywodd y tri ryw ochenaid uchel, greigiog yn dod o gyfeiriad yr argae a sylweddolon nhw ei fod ar fin dymchwel. Yn sydyn, roedd pwysau'r dŵr yn ormod i'r wal friwedig ac yn gymysg â sŵn cerrig a choncrid yn darnio a chwympo roedd sŵn dŵr. Miloedd ar filoedd o fetrau ciwbig o ddŵr yn tywallt i lawr y dyffryn lle bu'n llifo ddegawdau'n ôl.

44

'Ydych chi'n iawn?' gwaeddodd Elwyn ar ôl i sŵn y ffrwydron dawelu.

'Ydyn,' atebodd Llinos a Siôn gyda'i gilydd.

'Diolch byth,' ochneidiodd Elwyn wrth godi ar ei eistedd.

Cymerodd ychydig funudau i ddod ato'i hun, gan bwyso ei ben yn ei ddwylo ar ei bengliniau. Sylweddolodd, o'r diwedd, fod y gwaith wedi ei golli. Dim dyfais. Dim canlyniadau. Dim enwogrwydd.

'O wel,' dywedodd, wrtho'i hun yn gymaint ag wrth unrhyw un arall.

'O wel beth?' gofynnodd Siôn.

'Jyst dod i delerau gyda diwedd fy ngyrfa academaidd, Siôn bach!'

'O?' dywedodd Llinos.

'Mae'r labordy wedi ei ffrwydro'n ddarnau mân, ac fe daflodd Steff y ddisg dros ochr yr argae.'

'Y ddisg yma ti'n feddwl?' gofynnodd Llinos wrth dynnu'r casyn plastig o'i phoced.

'Ond sut, pryd? Beth?' Roedd y sioc ar ei wyneb yn ddoniol a chwarddodd Llinos.

'Rhedodd Siôn a fi i lawr at y platfform metel sy'n rhedeg hanner ffordd i lawr yr argae a draw nes ein bod ni odanat ti a Steff. Pan daflodd e'r ddisg, lwyddon ni i'w dal!'

Methodd Elwyn ag ateb. Gorweddodd ar lawr a chau ei lygaid. Rhoddodd Llinos y ddisg yn ei law.

45

Roedd y storm wedi peidio bellach ond roedd y dŵr a daflodd hi ar y tir yn parhau i dywallt drwy'r ffosydd a'r nentydd ac i lawr dros y llethrau gwyrdd. Roedd diwrnod arall yn gwawrio dros Bumlumon. Roedd ambiwlans a dau gar heddlu wedi cyrraedd ac roedd llond gwlad o swyddogion technegol yn edrych ar y difrod i'r argae. Crynai Llinos, Siôn ac Elwyn o dan y blancedi ffoil wrth ymyl y lôn. Roedd rhieni Siôn wedi cyrraedd ac yn diolch drosodd a throsodd i Elwyn am achub eu mab, ac yn dweud wrth Llinos ei bod hi'n mynd adre gyda nhw i gael bwyd yn syth wedi i'r heddlu roi'r hawl iddyn nhw adael. Gafaelai Elwyn yn dynn iawn yn y ddisg. Roedd wedi gwrthod i'r heddwas fynd â hi fel tystiolaeth, gan ddadlau ei fod wedi bod trwy hen ddigon ar gownt y ddisg yn barod, ac y byddai'n gwneud copi – wel, deg copi ohoni! – cyn iddo ei gadael o'i olwg.

46

FISOEDD YN DDIWEDDARACH

Cododd ffigwr byr ar ei draed ar lwyfan y gynhadledd. Tawelodd y mân siarad cyffrous yn y neuadd. Doedd dim un sedd wag yno ac roedd ambell un yn eistedd ar risiau ac ambell un arall yn sefyll yn y cefn. Roedd ffotograffwyr y wasg yn y blaen a chamerâu teledu yn pwyntio tuag at y llwyfan.

'Gyfeillion. Diolch ichi am eich amynedd. Mae'n bleser gen i gyflwyno ein prif siaradwr ar gyfer cynhadledd ryngwladol flynyddol Ynni a'r Amgylchedd. Go brin fod angen imi ei gyflwyno ichi, heblaw dweud y bydd ei brototeip o injan ynni glân bellach yn chwyldroi'r byd ynni'n llwyr. Heddiw, bydd yn cyflwyno ei syniadau diweddaraf inni. Croeso, Dr Llywelyn.'

Byddarwyd Elwyn Llywelyn gan y gymeradwyaeth wrth iddo godi ar ei draed a dallwyd ef gan fylbiau fflash y camerâu.

Yn seddi cefn yr ystafell gwenodd Llinos a Siôn ar ei gilydd.

'Prynhawn da, a diolch am y gwahoddiad...'

47

Mewn ystafell wely flêr yn y Waun ymlaciodd Llinos yn ei chadair waith foethus. Ers cyrraedd yn ôl bu'n edrych ar ei negeseuon e-bost ac yn tsiecio i weld a oedd unrhyw beth diddorol wedi digwydd ar rai o'r fforymau hacio yr oedd hi'n ymweld â nhw yn gyson. Doedd dim byd mawr wedi digwydd, yn ôl pob golwg. Dwy stori oedd flaenaf ar bob gwefan newyddion, sef hanes Dr Steffan Williams, darlithydd blaenllaw yn Adran Ffiseg, Prifysgol Aberystwyth a oedd, bellach, o dan amheuaeth o ddechrau'r tân a losgodd Adeilad John Price i'r llawr ac o ffrwydro argae Nant y Moch. Doedd dim cadarnhad o leoliad Dr Williams ond roedd yr heddlu'n canolbwyntio eu hymdrechion ar olion yr argae. Roedd hi'n ymddangos fod maint y difrod a achoswyd gan y ffrwydradau yn llai na'r disgwyl oherwydd mai dim ond hanner yr argae a ffrwydrwyd. O ganlyniad, roedd llai o ddŵr na'r disgwyl wedi rhuthro i lawr Dyffryn Rheidol. Roedd fideos newyddion ar y gwefannau o Elwyn yn ateb cwestiynau ac yn cael ei alw'n arwr am achub dau blentyn. Mewn stori a oedd yn gysylltiedig â'r brif stori roedd datganiad gan Brifysgol Aberystwyth yn dweud eu bod yn cryfhau eu seibr-ddiogelwch ar ôl cyfres o ymosodiadau difrifol. Gwenodd Llinos. Caeodd y wefan newyddion ac agor gwefan y Brifysgol. Teipiodd ei henw a'i chyfrinair, cymryd llond ceg o goffi du, pwyso ymlaen at y sgrin a dechrau teipio.

Rhai o nofelau eraill Cyfres Pen Dafad

£3.95

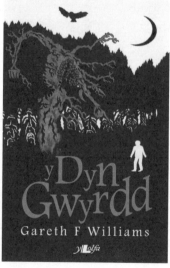

£3.95

£3.95

£3.95

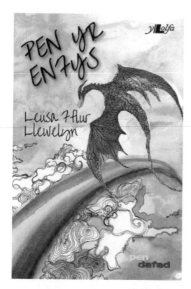

£3.95

£3.95

£2.95

Gwybodaeth am holl nofelau Cyfres Pen Dafad ar
www.ylolfa.com

Am restr gyflawn o lyfrau'r Lolfa, mynnwch
gopi am ddim o'n catalog
neu hwyliwch i mewn i'n gwefan

www.ylolfa.com

lle gallwch archebu llyfrau ar-lein.

TALYBONT CEREDIGION CYMRU SY24 5HE
ebost ylolfa@ylolfa.com
gwefan www.ylolfa.com
ffôn 01970 832 304
ffacs 832 782